Nosso Lar

Francisco Cândido Xavier

Nosso Lar

Pelo Espírito
André Luiz

"Quando o servidor está pronto, o serviço aparece."
Ministro Genésio
Capítulo 26

Copyright © 1944 by
FEDERAÇÃO ESPÍRITA BRASILEIRA – FEB

64ª edição – 20ª impressão – 10 mil exemplares – 6/2025

ISBN 978-85-7328-944-2

Todos os direitos reservados. Nenhuma parte desta publicação pode ser reproduzida, armazenada ou transmitida, total ou parcialmente, por quaisquer métodos ou processos, sem autorização do detentor do *copyright*.

FEDERAÇÃO ESPÍRITA BRASILEIRA – FEB
SGAN 603 – Conjunto F – Avenida L2 Norte
70830-106 – Brasília (DF) – Brasil
www.febeditora.com.br
editorial@febnet.org.br
+55 61 2101 6161

Pedidos de livros à FEB
Comercial
Tel.: (61) 2101 6161 – comercial@febnet.org.br

Adquirindo esta obra, você está colaborando com as ações de assistência e promoção social da FEB e com o Movimento Espírita na divulgação do Evangelho de Jesus à luz do Espiritismo.

Dados Internacionais de Catalogação na Publicação (CIP)
(Federação Espírita Brasileira – Biblioteca de Obras Raras)

L953n   Luiz, André (Espírito)

   Nosso Lar / pelo Espírito André Luiz; [psicografado por] Francisco Cândido Xavier. – 64. ed. – 20. imp. – Brasília: FEB, 2025.

   320 p.; 21 cm – (Coleção A vida no mundo espiritual; 1)

   Inclui índice geral

   ISBN 978-85-7328-944-2

   1. Espiritismo. 2. Obras psicografadas. I. Xavier, Francisco Cândido, 1910–2002. II. Federação Espírita Brasileira. III. Título. IV. Coleção.

   CDD 133.93
   CDU 133.7
   CDE 00.06.02

Sumário

Novo amigo 9
Mensagem de André Luiz 13
1 Nas zonas inferiores 17
2 Clarêncio 21
3 A oração coletiva 25
4 O médico espiritual 31
5 Recebendo assistência 37
6 Precioso aviso 43
7 Explicações de Lísias 47
8 Organização de serviços 51
9 Problema de alimentação 55
10 No Bosque das Águas 59
11 Notícias do plano 63
12 O Umbral 67
13 No gabinete do ministro 73
14 Elucidações de Clarêncio 79
15 A visita materna 85
16 Confidências 91

17	Em casa de Lísias	97
18	Amor, alimento das almas	101
19	A jovem desencarnada	107
20	Noções de lar	113
21	Continuando a palestra	119
22	O bônus-hora	123
23	Saber ouvir	129
24	O impressionante apelo	135
25	Generoso alvitre	141
26	Novas perspectivas	145
27	O trabalho, enfim	151
28	Em serviço	157
29	A visão de Francisco	163
30	Herança e eutanásia	169
31	Vampiro	175
32	Notícias de Veneranda	181
33	Curiosas observações	187
34	Com os recém-chegados do Umbral	193
35	Encontro singular	199
36	O sonho	205
37	A preleção da ministra	211
38	O caso Tobias	217
39	Ouvindo a senhora Laura	223
40	Quem semeia colherá	229

41 Convocados à luta 235
42 A palavra do governador 241
43 Em conversação 247
44 As trevas 253
45 No campo da música 259
46 Sacrifício de mulher 265
47 A volta de Laura 271
48 Culto familiar 277
49 Regressando à casa 283
50 Cidadão de Nosso Lar 289
Índice geral 295

Novo amigo

Os prefácios, em geral, apresentam autores, exaltando-lhes o mérito e comentando-lhes a personalidade.

Aqui, porém, a situação é diferente.

Embalde os companheiros encarnados procurariam o médico André Luiz nos catálogos da convenção.

Por vezes, o anonimato é filho do legítimo entendimento e do verdadeiro amor. Para redimirmos o passado escabroso, modificam-se tabelas da nomenclatura usual na reencarnação. Funciona o esquecimento temporário como bênção da divina Misericórdia.

André precisou, igualmente, cerrar a cortina sobre si mesmo.

É por isso que não podemos apresentar o médico terrestre e autor humano, mas sim o novo amigo e irmão na eternidade.

Por trazer valiosas impressões aos companheiros do mundo, necessitou despojar-se de todas as convenções, inclusive a do próprio nome, para não ferir corações amados, envolvidos ainda nos velhos mantos da ilusão. Os que colhem as espigas maduras não devem ofender os que plantam a distância, nem perturbar a lavoura verde, ainda em flor.

Reconhecemos que este livro não é único. Outras entidades já comentaram as condições da vida além-túmulo...

Entretanto, de há muito desejamos trazer ao nosso círculo espiritual alguém que possa transmitir a outrem o valor da experiência própria, com todos os detalhes possíveis à legítima compreensão da ordem que preside o esforço dos desencarnados laboriosos e bem-intencionados nas esferas invisíveis ao olhar humano, embora intimamente ligadas ao planeta.

Certamente que numerosos amigos sorrirão ao contato de determinadas passagens das narrativas. O inabitual, entretanto, causa surpresa em todos os tempos. Quem não sorriria, na Terra, anos atrás, quando se lhe falasse da aviação, da eletricidade, da radiofonia?

A surpresa, a perplexidade e a dúvida são de todos os aprendizes que ainda não passaram pela lição. É mais que natural, é justíssimo. Não comentaríamos, desse modo, qualquer impressão alheia. Todo leitor precisa analisar o que lê.

Reportamo-nos, pois, tão somente ao objetivo essencial do trabalho.

O Espiritismo ganha dilatada expressão numérica. Milhares de criaturas interessam-se pelos seus trabalhos, modalidades, experiências. Nesse campo imenso de novidades, todavia, não deve o homem descurar de si mesmo.

Não basta investigar fenômenos, aderir verbalmente, melhorar a estatística, doutrinar consciências alheias, fazer proselitismo e conquistar favores da opinião, por mais respeitável que seja, no plano físico. É indispensável cogitar do conhecimento de nossos infinitos potenciais, aplicando-os, por nossa vez, nos serviços do bem.

O homem terrestre não é um deserdado. É filho de Deus, em trabalho construtivo, envergando a roupagem da carne; aluno de escola benemérita, onde precisa aprender a elevar-se. A luta humana é a sua oportunidade, a sua ferramenta, o seu livro.

O intercâmbio com o invisível é um movimento sagrado, em função restauradora do Cristianismo puro; que ninguém, todavia, se descuide das necessidades próprias, no lugar que ocupa pela vontade do Senhor.

André Luiz vem contar a você, leitor amigo, que a maior surpresa da morte carnal é a de nos colocar face a face com a própria consciência, na qual edificamos o céu, estacionamos no purgatório ou nos precipitamos no abismo infernal; vem lembrar que a Terra é oficina sagrada, e que ninguém a menosprezará sem conhecer o preço do terrível engano a que submeteu o próprio coração.

Guarde a experiência dele no livro da alma. Ela diz bem alto que não basta à criatura apegar-se à existência humana, mas precisa saber aproveitá-la dignamente; que os passos do cristão, em qualquer escola religiosa, devem dirigir-se verdadeiramente ao Cristo, e que, em nosso campo doutrinário, precisamos, em verdade, do *Espiritismo* e do *Espiritualismo,* mas, muito mais, de *Espiritualidade.*

Emmanuel

Pedro Leopoldo (MG), 3 de outubro de 1943.

Mensagem de André Luiz

A vida não cessa. A vida é fonte eterna, e a morte é o jogo escuro das ilusões.

O grande rio tem seu trajeto, antes do mar imenso. Copiando-lhe a expressão, a alma percorre igualmente caminhos variados e etapas diversas, também recebe afluentes de conhecimentos, aqui e ali, avoluma-se em expressão e purifica-se em qualidade, antes de encontrar o oceano eterno da sabedoria.

Cerrar os olhos carnais constitui operação demasiadamente simples.

Permutar a roupagem física não decide o problema fundamental da iluminação, como a troca de vestidos nada tem que ver com as soluções profundas do destino e do ser.

Ó caminhos das almas, misteriosos caminhos do coração! É mister percorrer-vos antes de tentar a suprema equação da vida eterna! É indispensável viver o vosso drama, conhecer-vos detalhe a detalhe, no longo processo do aperfeiçoamento espiritual!...

Seria extremamente infantil a crença de que o simples "baixar do pano" resolvesse transcendentes questões do Infinito.

Uma existência é um ato.

Um corpo — uma veste.
Um século — um dia.
Um serviço — uma experiência.
Um triunfo — uma aquisição.
Uma morte — um sopro renovador.

Quantas existências, quantos corpos, quantos séculos, quantos serviços, quantos triunfos, quantas mortes necessitamos ainda?

E o letrado em filosofia religiosa fala de deliberações finais e posições definitivas!

Ai! por toda parte, os cultos em doutrina e os analfabetos do espírito!

É preciso muito esforço do homem para ingressar na academia do Evangelho do Cristo, ingresso que se verifica, quase sempre, de estranha maneira — ele só, na companhia do Mestre, efetuando o curso difícil, recebendo lições sem cátedras visíveis e ouvindo vastas dissertações sem palavras articuladas.

Muito longa, portanto, nossa jornada laboriosa.

Nosso esforço pobre quer traduzir apenas uma ideia dessa verdade fundamental.

Grato, pois, meus amigos!

Manifestamo-nos, junto a vós outros, no anonimato que obedece à caridade fraternal. A existência humana apresenta grande maioria de vasos frágeis, que não podem conter ainda toda a verdade. Aliás, não nos interessaria, agora, senão a experiência profunda, com os seus valores coletivos. Não atormentaremos alguém com a ideia da eternidade. Que os vasos se fortaleçam, em primeiro lugar. Forneceremos, somente, algumas ligeiras notícias ao espírito sequioso dos nossos irmãos na senda de realização espiritual, e que compreendem conosco que "o espírito sopra onde quer".

E, agora, amigos, que meus agradecimentos se calem no papel, recolhendo-se ao grande silêncio da simpatia e da gratidão. Atração e reconhecimento, amor e júbilo moram na alma. Crede que guardarei semelhantes valores comigo, a vosso respeito, no santuário do coração.

Que o Senhor nos abençoe.

ANDRÉ LUIZ

1
Nas zonas inferiores

Eu guardava a impressão de haver perdido a ideia de tempo. A noção de espaço esvaíra-se-me de há muito.   1.1
Estava convicto de não mais pertencer ao número dos encarnados no mundo, no entanto meus pulmões respiravam a longos haustos.
Desde quando me tornara joguete de forças irresistíveis? Impossível esclarecer.
Sentia-me, na verdade, amargurado duende nas grades escuras do horror. Cabelos eriçados, coração aos saltos, medo terrível senhoreando-me, muita vez gritei como louco, implorei piedade e clamei contra o doloroso desânimo que me subjugava o espírito, mas, quando o silêncio implacável não me absorvia a voz estentórica, lamentos mais comovedores que os meus respondiam-me aos clamores. Outras vezes, gargalhadas sinistras rasgavam a quietude ambiente. Algum companheiro desconhecido estaria, a meu ver, prisioneiro da loucura. Formas diabólicas, rostos alvares, expressões animalescas surgiam de quando

em quando, agravando-me o assombro. A paisagem, quando não totalmente escura, parecia banhada de luz alvacenta, como que amortalhada em neblina espessa, que os raios de sol aquecessem de muito longe.

1.2 E a estranha viagem prosseguia... Com que fim? Quem o poderia dizer? Apenas sabia que fugia sempre... O medo me impelia de roldão. Onde o lar, a esposa, os filhos? Perdera toda a noção de rumo. O receio do ignoto e o pavor da treva absorviam-me todas as faculdades de raciocínio, logo que me desprendera dos últimos laços físicos, em pleno sepulcro!

Atormentava-me a consciência: preferiria a ausência total da razão, o não ser.

De início, as lágrimas lavavam-me incessantemente o rosto e apenas, em minutos raros, felicitava-me a bênção do sono. Interrompia-se, porém, bruscamente, a sensação de alívio. Seres monstruosos acordavam-me, irônicos; era imprescindível fugir deles.

Reconhecia, agora, a esfera diferente a erguer-se da poalha[1] do mundo e, todavia, era tarde. Pensamentos angustiosos atritavam-me o cérebro. Mal delineava projetos de solução, incidentes numerosos impeliam-me a considerações estonteantes. Em momento algum, o problema religioso surgiu tão profundo a meus olhos. Os princípios puramente filosóficos, políticos e científicos figuravam-se-me agora extremamente secundários para a vida humana. Significavam, a meu ver, valioso patrimônio nos planos da Terra, mas urgia reconhecer que a humanidade não se constitui de gerações transitórias, e sim de Espíritos eternos, a caminho de gloriosa destinação. Verificava que alguma coisa permanece acima de toda cogitação meramente intelectual. Esse algo é a fé, manifestação divina ao homem. Semelhante análise surgia, contudo, tardiamente. De fato, conhecia as letras

---

[1] N.E.: Poeira leve que se mantém suspensa no ar.

do Velho Testamento e muita vez folheara o Evangelho; entretanto, era forçoso reconhecer que nunca procurara as letras sagradas com a luz do coração. Identificava-as por meio da crítica de escritores menos afeitos ao sentimento e à consciência, ou em pleno desacordo com as verdades essenciais. Noutras ocasiões, interpretava-as com o sacerdócio organizado, sem sair jamais do círculo de contradições em que estacionara voluntariamente.

Em verdade, não fora um criminoso, no meu próprio conceito. A filosofia do imediatismo, porém, absorvera-me. A existência terrestre, que a morte transformara, não fora assinalada de lances diferentes da craveira comum.   **1.3**

Filho de pais talvez excessivamente generosos, conquistara meus títulos universitários sem maior sacrifício, compartilhara os vícios da mocidade do meu tempo, organizara o lar, conseguira filhos, perseguira situações estáveis que garantissem a tranquilidade econômica do meu grupo familiar, mas, examinando atentamente a mim mesmo, algo me fazia experimentar a noção de tempo perdido, com a silenciosa acusação da consciência. Habitara a Terra, gozara-lhe os bens, colhera as bênçãos da vida, mas não lhe retribuíra ceitil do débito enorme. Tivera pais cuja generosidade e sacrifícios por mim nunca avaliei; esposa e filhos que prendera ferozmente nas teias rijas do egoísmo destruidor. Possuíra um lar que fechei a todos os que palmilhavam o deserto da angústia. Deliciara-me com os júbilos da família, esquecido de estender essa bênção divina à imensa família humana, surdo a comezinhos deveres de fraternidade.

Enfim, como a flor de estufa, não suportava agora o clima das realidades eternas. Não desenvolvera os germes divinos que o Senhor da Vida colocara em minha alma. Sufocara-os, criminosamente, no desejo incontido de bem-estar. Não adestrara órgãos para a vida nova. Era justo, pois, que aí despertasse à maneira de aleijado que, restituído ao rio infinito da eternidade, não pudesse acompanhar senão compulsoriamente a carreira incessante das águas; ou como mendigo infeliz que, exausto em pleno deserto, perambula à mercê de impetuosos tufões.

1.4 Ó amigos da Terra! Quantos de vós podereis evitar o caminho da amargura com o preparo dos campos interiores do coração? Acendei vossas luzes antes de atravessar a grande sombra. Buscai a verdade antes que a verdade vos surpreenda. Suai agora para não chorardes depois.

2
Clarêncio

"Suicida! Suicida! Criminoso! Infame!" — gritos assim **2.1** cercavam-me de todos os lados. Onde os sicários de coração empedernido? Por vezes, enxergava-os de relance, escorregadios na treva espessa e, quando meu desespero atingia o auge, atacava-os, mobilizando extremas energias. Em vão, porém, esmurrava o ar nos paroxismos da cólera. Gargalhadas sarcásticas feriam-me os ouvidos, enquanto os vultos negros desapareciam na sombra.

Para quem apelar? Torturava-me a fome, a sede me escaldava. Comezinhos fenômenos da experiência material patenteavam-se-me aos olhos. Crescera-me a barba, a roupa começava a romper-se com os esforços da resistência, na região desconhecida. A circunstância mais dolorosa, no entanto, não era o terrível abandono a que me sentia votado, mas o assédio incessante de forças perversas que me assomavam nos caminhos ermos e obscuros. Irritavam-me, aniquilavam-me a possibilidade de concatenar ideias. Desejava ponderar maduramente a situação, esquadrinhar razões e estabelecer novas diretrizes ao pensamento, mas aquelas vozes, aqueles lamentos misturados de acusações nominais desnorteavam-me irremediavelmente.

2.2 — Que buscas, infeliz? Aonde vais, suicida?

Tais objurgatórias, incessantemente repetidas, perturbavam-me o coração. Infeliz, sim; mas suicida? — Nunca! Essas increpações, a meu ver, não eram procedentes. Eu havia deixado o corpo físico a contragosto. Recordava meu porfiado duelo com a morte. Ainda julgava ouvir os últimos pareceres médicos, enunciados na Casa de Saúde; lembrava a assistência desvelada que tivera, os curativos dolorosos que experimentara nos dias longos que se seguiram à delicada operação dos intestinos. Sentia, no curso dessas reminiscências, o contato do termômetro, o pique desagradável da agulha de injeções e, por fim, a última cena que precedera o grande sono: minha esposa ainda jovem e os três filhos contemplando-me no terror da eterna separação. Depois... o despertar na paisagem úmida e escura e a grande caminhada que parecia sem-fim.

Por que a pecha de suicídio, quando fora compelido a abandonar a casa, a família e o doce convívio dos meus? O homem mais forte conhecerá limites à resistência emocional. Firme e resoluto a princípio, comecei por entregar-me a longos períodos de desânimo, e, longe de prosseguir na fortaleza moral, por ignorar o próprio fim, senti que as lágrimas longamente represadas visitavam-me com mais frequência, extravasando do coração.

A quem recorrer? Por maior que fosse a cultura intelectual trazida do mundo, não poderia alterar, agora, a realidade da vida. Meus conhecimentos, ante o infinito, semelhavam-se a pequenas bolhas de sabão levadas ao vento impetuoso que transforma as paisagens. Eu era alguma coisa que o tufão da verdade carreava para muito longe. Entretanto, a situação não modificava a outra realidade do meu ser essencial. Perguntando a mim mesmo se não enlouquecera, encontrava a consciência vigilante, esclarecendo-me que continuava a ser eu mesmo, com o sentimento e a cultura colhidos na experiência material. Persistiam as necessidades fisiológicas, sem modificação. Castigava-me a fome todas as fibras, e, nada obstante o abatimento progressivo, eu não chegava a cair definitivamente em absoluta exaustão. De quando em quando, deparavam-se-me verduras que me pareciam agrestes, em torno de humildes filetes d'água a que me atirava sequioso. Devorava as folhas desconhecidas, colava os lábios à nascente turva, enquanto mo permitiam as forças irresistíveis, a impelirem-me para a frente. Muita vez suguei a lama da estrada, recordei o antigo pão de cada dia, vertendo copioso pranto. Não raro, era imprescindível ocultar-me das enormes manadas de seres animalescos que passavam em bando, quais feras insaciáveis. Eram quadros de estarrecer! Acentuava-se o desalento. Foi quando comecei a recordar que deveria existir um Autor da Vida, fosse onde fosse. Essa ideia confortou-me. Eu, que detestara as religiões no mundo, experimentava agora a necessidade de conforto místico. Médico extremamente arraigado ao negativismo da minha geração, impunha-se-me atitude renovadora. Tornava-se imprescindível confessar a falência do amor-próprio, a que me consagrara orgulhoso.

2.3 E, quando as energias me faltaram de todo, quando me senti absolutamente colado ao lodo da Terra, sem forças para reerguer-me, pedi ao supremo Autor da natureza me estendesse mãos paternais, em tão amargurosa emergência.

Quanto tempo durou a rogativa? Quantas horas consagrei à súplica, de mãos postas, imitando a criança aflita? Apenas sei que a chuva das lágrimas me lavou o rosto; que todos os meus sentimentos se concentraram na prece dolorosa. Estaria, então, completamente esquecido? Não era, igualmente, filho de Deus, embora não cogitasse de conhecer-lhe a atividade sublime quando engolfado nas vaidades da experiência humana? Por que não me perdoaria o eterno Pai, quando providenciava ninho às aves inconscientes e protegia, bondoso, a flor tenra dos campos agrestes?

2.4 Ah! é preciso haver sofrido muito para entender todas as misteriosas belezas da oração; é necessário haver conhecido o remorso, a humilhação, a extrema desventura para tomar com eficácia o sublime elixir de esperança. Foi nesse instante que as neblinas espessas se dissiparam e alguém surgiu, emissário dos céus. Um velhinho simpático me sorriu paternalmente. Inclinou-se, fixou nos meus os grandes olhos lúcidos e falou:

— Coragem, meu filho! O Senhor não te desampara.

Amargurado pranto banhava-me a alma toda. Emocionado, quis traduzir meu júbilo, comentar a consolação que me chegava, mas, reunindo todas as forças que me restavam, pude apenas inquirir:

— Quem sois, generoso emissário de Deus?

O inesperado benfeitor sorriu bondoso e respondeu:

— Chama-me Clarêncio, sou apenas teu irmão.

E, percebendo o meu esgotamento, acrescentou:

— Agora, permanece calmo e silencioso. É preciso descansar para reaver energias.

Em seguida, chamou dois companheiros que guardavam atitude de servos desvelados e ordenou:

— Prestemos ao nosso amigo os socorros de emergência.

Alvo lençol foi estendido ali mesmo, à guisa de maca improvisada, aprestando-se ambos os cooperadores a me transportarem generosamente.

Quando me alçavam cuidadosos, Clarêncio meditou um instante e esclareceu, como quem recorda inadiável obrigação:

— Vamos sem demora. Preciso atingir Nosso Lar com a presteza possível.

3
A oração coletiva

Embora transportado à maneira de ferido comum, lobriguei o quadro confortante que se desdobrava à minha vista.   3.1

Clarêncio, que se apoiava num cajado de substância luminosa, deteve-se à frente de grande porta encravada em altos muros, cobertos de trepadeiras floridas e graciosas. Tateando um ponto da muralha, fez-se longa abertura, através da qual penetramos silenciosos.

Branda claridade inundava ali todas as coisas. Ao longe, gracioso foco de luz dava a ideia de um pôr do sol em tardes primaveris. À medida que avançávamos, conseguia identificar preciosas construções, situadas em extensos jardins.

Ao sinal de Clarêncio, os condutores depuseram, devagarinho, a maca improvisada. A meus olhos surgiu, então, a porta acolhedora de alvo edifício, à feição de grande hospital terreno. Dois jovens, envergando túnicas de níveo linho, acorreram pressurosos ao chamado de meu benfeitor, e quando me acomodavam num leito de emergência, para me conduzirem cuidadosamente ao interior, ouvi o generoso ancião recomendar carinhoso:

3.2 — Guardem nosso tutelado no pavilhão da direita. Esperam agora por mim. Amanhã cedo voltarei a vê-lo.

Enderecei-lhe um olhar de gratidão, ao mesmo tempo que era conduzido a confortável aposento de amplas proporções, ricamente mobilado, onde me ofereceram leito acolhedor.

Envolvendo os dois enfermeiros na vibração do meu reconhecimento, esforcei-me por lhes dirigir a palavra, conseguindo dizer por fim:

— Amigos, por quem sois, explicai-me em que novo mundo me encontro... De que estrela me vem, agora, esta luz confortadora e brilhante?

Um deles afagou-me a fronte, como se fora conhecido pessoal de longo tempo, e acentuou:

— Estamos nas esferas espirituais vizinhas da Terra, e o Sol que nos ilumina, neste momento, é o mesmo que nos vivificava o corpo físico. Aqui, entretanto, nossa percepção visual é muito mais rica. A estrela que o Senhor acendeu para os nossos trabalhos terrestres é mais preciosa e bela do que a supomos quando no círculo carnal. Nosso Sol é a divina matriz da vida, e a claridade que irradia provém do autor da Criação.

Meu ego, como que absorvido em onda de infinito respeito, fixou a luz branda que invadia o quarto, através das janelas, e perdi-me no curso de profundas cogitações. Recordei, então, que nunca fixara o Sol, nos dias terrestres, meditando na imensurável bondade daquele que no-lo concede para o caminho eterno da vida. Semelhava-me, assim, ao cego venturoso que abre os olhos para a natureza sublime depois de longos séculos de escuridão.

A essa altura, serviram-me caldo reconfortante, seguido de água muito fresca, que me pareceu portadora de fluidos divinos. Aquela reduzida porção de líquido reanimava-me inesperadamente. Não saberia dizer que espécie de sopa era aquela; se alimentação sedativa, se remédio salutar. Novas energias amparavam-me a alma, profundas comoções vibravam-me no espírito.

Minha maior emoção, todavia, reservava-se para instantes depois. **3.3**

Mal não saíra da consoladora surpresa, divina melodia penetrou quarto adentro, parecendo suave colmeia de sons a caminho das esferas superiores. Aquelas notas de maravilhosa harmonia atravessavam-me o coração. Ante meu olhar indagador, o enfermeiro, que permanecia ao lado, esclareceu bondoso:

— É chegado o crepúsculo em Nosso Lar. Em todos os núcleos desta colônia de trabalho, consagrada ao Cristo, há ligação direta com as preces da Governadoria.

E, enquanto a música embalsamava o ambiente, despedia-se atencioso:

— Agora, fique em paz. Voltarei logo após a oração.

Empolgou-me ansiedade súbita.

— Não poderei acompanhar-vos? — perguntei suplicante.

— Está ainda fraco — esclareceu gentil —, todavia, caso sinta-se disposto...

Aquela melodia renovava-me as energias profundas. Levantei-me, vencendo dificuldades, e agarrei-me ao braço fraternal que se me estendia. Seguindo vacilante, cheguei a enorme salão, onde numerosa assembleia meditava em silêncio, profundamente recolhida. Da abóbada cheia de claridade brilhante, pendiam delicadas e flóreas guirlandas, que vinham do teto à base, formando radiosos símbolos de Espiritualidade superior. Ninguém parecia dar conta da minha presença, ao passo que mal dissimulava eu a surpresa inexcedível. Todos os circunstantes, atentos, pareciam aguardar alguma coisa. Contendo a custo numerosas indagações que me esfervilhavam na mente, notei que ao fundo, em tela gigantesca, desenhava-se prodigioso quadro de luz quase feérica. Obedecendo a processos adiantados de televisão, surgiu o cenário de templo maravilhoso. Sentado em lugar de destaque, um ancião coroado de luz fixava o Alto, em atitude de prece, envergando alva túnica de irradiações resplandecentes. Em plano inferior, 72 figuras pareciam acompanhá-lo em respeitoso silêncio. Altamente surpreendido, reparei Clarêncio participando da assembleia, entre os que cercavam o velhinho refulgente.

3.4   Apertei o braço do enfermeiro amigo, e, compreendendo ele que minhas perguntas não se fariam esperar, esclareceu em voz baixa, que mais se assemelhava a leve sopro:

— Conserve-se tranquilo. Todas as residências e instituições de Nosso Lar estão orando com o governador, por meio da audição e visão a distância. Louvemos o coração invisível do Céu.

Mal terminara a explicação, as 72 figuras começaram a cantar harmonioso hino, repleto de indefinível beleza. A fisionomia de Clarêncio, no círculo dos veneráveis companheiros, figurou-se-me tocada de mais intensa luz. O cântico celeste constituía-se de notas angelicais, de sublimado reconhecimento. Pairavam no recinto misteriosas vibrações de paz e de alegria e, quando as notas argentinas fizeram delicioso *staccato*,[2] desenhou-se ao longe, em plano elevado, um coração maravilhosamente azul,[3] com estrias douradas. Cariciosa música, em seguida, respondia aos louvores, procedente talvez de esferas distantes. Foi aí que abundante chuva de flores azuis se derramou sobre nós, mas, se fixávamos os miosótis celestiais, não conseguíamos detê-los nas mãos. As corolas minúsculas desfaziam-se de leve ao tocar-nos a fronte, experimentando eu, por minha vez, singular renovação de energias ao contato das pétalas fluídicas que me balsamizavam o coração.

---

[2] N.E.: Em música, tipo de articulação que resulta em notas muito curtas.
[3] Nota do autor espiritual: Imagem simbólica formada pelas vibrações mentais dos habitantes da colônia.

Terminada a sublime oração, regressei ao aposento de enfermo, amparado pelo amigo que me atendia de perto. Entretanto, não era mais o doente grave de horas antes. A primeira prece coletiva em Nosso Lar operara em mim completa transformação. Conforto inesperado envolvia-me a alma. Pela primeira vez, depois de anos consecutivos de sofrimento, o pobre coração, saudoso e atormentado, à maneira de cálice muito tempo vazio, enchera-se de novo das gotas generosas do licor da esperança. **3.5**

4
O médico espiritual

No dia imediato, após reparador e profundo repouso, experimentei a bênção radiosa do Sol amigo, qual suave mensagem ao coração. Claridade reconfortante atravessava ampla janela, inundando o recinto de cariciosa luz. Sentia-me outro. Energias novas tocavam-me o íntimo. Tinha a impressão de sorver a alegria da vida, a longos haustos. Na alma, apenas um ponto sombrio — a saudade do lar, o apego à família que ficara distante. Numerosas interrogações pairavam-me na mente, mas tão grande era a sensação de alívio que eu sossegava o espírito, longe de qualquer interpelação. 4.1

Quis levantar-me, gozar o espetáculo da natureza cheia de brisas e de luz, mas não o consegui e concluí que, sem a cooperação magnética do enfermeiro, tornava-se-me impossível deixar o leito.

Não voltara a mim das surpresas consecutivas, quando se abriu a porta e vi entrar Clarêncio acompanhado por simpático desconhecido. Cumprimentaram-me, atenciosos, desejando-me paz. Meu benfeitor da véspera indagou do meu estado geral. Acorreu o enfermeiro, prestando informações.

4.2 Sorridente, o velhinho amigo apresentou-me o companheiro. Tratava-se, disse, do irmão Henrique de Luna, do Serviço de Assistência Médica da colônia espiritual. Trajado de branco, traços fisionômicos irradiando enorme simpatia, Henrique auscultou-me demoradamente, sorriu e explicou:

— É de lamentar que tenha vindo pelo suicídio.

Enquanto Clarêncio permanecia sereno, sentia que singular assomo de revolta me borbulhava no íntimo.

Suicídio? Recordei as acusações dos seres perversos das sombras. Não obstante o cabedal de gratidão que começava a acumular, não calei a incriminação.

— Creio haja engano — asseverei melindrado —, meu regresso do mundo não teve essa causa. Lutei mais de quarenta dias, na Casa de Saúde, tentando vencer a morte. Sofri duas operações graves, em razão de oclusão intestinal...

— Sim — esclareceu o médico, demonstrando a mesma serenidade superior —, mas a oclusão radicava-se em causas profundas. Talvez o amigo não tenha ponderado bastante. O organismo espiritual apresenta em si mesmo a história completa das ações praticadas no mundo.

E, inclinando-se atencioso, indicava determinados pontos do meu corpo:

— Vejamos a zona intestinal — disse. — A oclusão derivava de elementos cancerosos, e estes, por sua vez, de algumas leviandades do meu estimado irmão, no campo da sífilis. A moléstia talvez não assumisse características tão graves, se o seu procedimento mental no planeta estivesse enquadrado nos princípios da fraternidade e da temperança. Entretanto, seu modo especial de conviver, muita vez exasperado e sombrio, captava destruidoras vibrações naqueles que o ouviam. Nunca imaginou que a cólera fosse manancial de forças negativas para nós mesmos? A ausência de autodomínio, a inadvertência no trato com os semelhantes, aos quais muitas vezes ofendeu sem refletir, conduziam-no frequentemente à esfera dos seres doentes e inferiores. Tal circunstância agravou, de muito, o seu estado físico.

Depois de longa pausa, em que me examinava atentamente, continuou: 4.3

— Já observou, meu amigo, que seu fígado foi maltratado pela sua própria ação; que os rins foram esquecidos, com terrível menosprezo às dádivas sagradas?

Singular desapontamento invadira-me o coração. Parecendo desconhecer a angústia que me oprimia, continuava o médico, esclarecendo:

— Os órgãos do corpo somático possuem incalculáveis reservas, segundo os desígnios do Senhor. O meu amigo, no entanto, iludiu excelentes oportunidades, esperdiçando patrimônios preciosos da experiência física. A longa tarefa, que lhe foi confiada pelos maiores da Espiritualidade superior, foi reduzida a meras tentativas de trabalho que não se consumou. Todo o aparelho gástrico foi destruído à custa de excessos de alimentação e bebidas alcoólicas, aparentemente sem importância. Devorou-lhe a sífilis energias essenciais. Como vê, o suicídio é incontestável.

Meditei nos problemas dos caminhos humanos, refletindo nas oportunidades perdidas. Na vida humana, conseguia ajustar numerosas máscaras ao rosto, talhando-as conforme as situações. Aliás, não poderia supor, noutro tempo, que me seriam pedidas contas de episódios simples, que costumava considerar como fatos sem maior significação. Conceituara, até ali, os erros humanos, segundo os preceitos da criminologia. Todo acontecimento insignificante, estranho aos códigos, entraria na relação de fenômenos naturais. Deparava-se-me, porém, agora, outro sistema de verificação das faltas cometidas. Não me defrontavam tribunais de tortura, nem me surpreendiam abismos infernais; contudo, benfeitores sorridentes comentavam-me as fraquezas como quem cuida de uma criança desorientada, longe das vistas paternas. Aquele interesse espontâneo, no entanto, feria-me a vaidade de homem. Talvez que, visitado por figuras diabólicas a me torturarem, de tridente nas mãos, encontrasse forças para tornar a derrota menos amarga. Todavia, a bondade exuberante de Clarêncio, a inflexão de ternura do médico e a calma fraternal do enfermeiro penetravam-me fundo o espírito. Não me dilacerava o desejo de reação; doía-me a vergonha. E chorei. Rosto entre as mãos, qual menino contrariado e infeliz, pus-me a soluçar com a dor que me parecia irremediável. Não havia como discordar. Henrique de Luna falava com sobejas razões. Por fim, abafando os impulsos vaidosos, reconheci a extensão de minhas leviandades de outros tempos. A falsa noção da dignidade pessoal cedia terreno à justiça. Perante minha visão espiritual só existia, agora, uma realidade torturante: era verdadeiramente um suicida, perdera o ensejo precioso da experiência humana, não passava de náufrago a quem se recolhia por caridade.

4.4   Foi então que o generoso Clarêncio, sentando-se no leito, a meu lado, afagou-me paternalmente os cabelos e falou comovido:

— Ó meu filho, não te lastimes tanto. Busquei-te atendendo à intercessão dos que te amam, dos planos mais altos. Tuas lágrimas atingem seus corações. Não desejas ser grato, mantendo-te tranquilo no exame das próprias faltas? Na verdade, tua posição é a do suicida inconsciente, mas é necessário reconhecer que centenas de criaturas se ausentam diariamente da Terra nas mesmas condições. Acalma-te, pois. Aproveita os tesouros do arrependimento, guarda a bênção do remorso, embora tardio, sem esquecer que a aflição não resolve problemas. Confia no Senhor e em nossa dedicação fraternal. Sossega a alma perturbada, porque muitos de nós outros já perambulamos igualmente nos teus caminhos.

Ante a generosidade que transbordava dessas palavras, **4.5** mergulhei a cabeça em seu colo paternal e chorei longamente.

5
Recebendo assistência

— É você o tutelado de Clarêncio? 5.1
A pergunta vinha de um jovem de singular e doce expressão.
Grande bolsa pendente da mão, como quem conduzia apetrechos de assistência, endereçava-me ele sorriso acolhedor. Ao meu sinal afirmativo, mostrou-se à vontade e, de maneiras fraternas, acentuou:
— Sou Lísias, seu irmão. Meu diretor, o assistente Henrique de Luna, designou-me para servi-lo, enquanto precisar tratamento.
— É enfermeiro? — indaguei.
— Sou visitador dos serviços de saúde. Nessa qualidade, não só coopero na enfermagem, como também assinalo necessidades de socorro ou providências que se refiram a enfermos recém-chegados.
Notando-me a surpresa, explicou:
— Nas minhas condições há numerosos servidores em Nosso Lar. O amigo ingressou agora na colônia e, naturalmente, ignora a amplitude dos nossos trabalhos. Para fazer uma ideia,

basta lembrar que apenas aqui, na seção em que se encontra, existem mais de mil doentes espirituais, e note que este é um dos menores edifícios do nosso parque hospitalar.

5.2 — Tudo isso é maravilhoso! — exclamei.

Adivinhando que minhas observações iam descambar para o elogio espontâneo, Lísias levantou-se da poltrona a que se recolhera e começou a auscultar-me atento, impedindo-me o agradecimento verbal.

— A zona dos seus intestinos apresenta lesões sérias com vestígios muito exatos do câncer; a região do fígado revela dilacerações; a dos rins demonstra característicos de esgotamento prematuro.

Sorrindo, bondoso, acrescentou:

— Sabe o irmão o que significa isso?

— Sim — repliquei —, o médico esclareceu ontem, explicando que devo esses distúrbios a mim mesmo...

Reconhecendo o acanhamento da confissão reticenciosa, apressou-se a consolar:

— Na turma de 80 enfermos a que devo assistência diária, 57 se encontram nas suas condições. E talvez ignore que existem, por aqui, os mutilados. Já pensou nisso? Sabe que o homem imprevidente, que gastou os olhos no mal, aqui comparece de órbitas vazias? Que o malfeitor, interessado em utilizar o dom da locomoção fácil nos atos criminosos, experimenta a desolação da paralisia, quando não é recolhido absolutamente sem pernas? Que os pobres obsidiados nas aberrações sexuais costumam chegar em extrema loucura?

Identificando-me a perplexidade natural, prosseguiu:

— Nosso Lar não é estância de Espíritos propriamente vitoriosos, se conferirmos ao termo sua razoável acepção. Somos felizes, porque temos trabalho; e a alegria habita cada recanto da colônia, porque o Senhor não nos retirou o pão abençoado do serviço.

Aproveitando a pausa mais longa, exclamei sensibilizado:

— Continue, meu amigo, esclareça-me. Sinto-me aliviado e tranquilo. Não será esta região um departamento celestial dos eleitos?

Lísias sorriu e explicou:

— Recordemos o antigo ensinamento que se refere a muitos chamados e poucos escolhidos na Terra.

E, vagueando o olhar no horizonte longínquo, como a fixar experiências de si mesmo no painel das recordações mais íntimas, acentuou:

— As religiões, no planeta, convocam as criaturas ao banquete celestial. Em sã consciência, ninguém que se tenha aproximado, um dia, da noção de Deus, pode alegar ignorância nesse particular. Incontável é o número dos chamados, meu amigo; mas onde os que atendem ao chamado? Com raras exceções, a massa humana prefere aceder a outro gênero de convites. Gasta-se a possibilidade nos desvios do bem, agrava-se o capricho de cada um, elimina-se o corpo físico a golpes de irreflexão. Resultado: milhares de criaturas retiram-se diariamente da esfera da carne em doloroso estado de incompreensão. Multidões sem conta erram em todas as direções nos círculos imediatos à crosta planetária, constituídas de loucos, doentes e ignorantes.

Notando-me a admiração, interrogou:

— Acreditaria, porventura, que a morte do corpo nos conduziria a planos de milagres? Somos compelidos a trabalho áspero, a serviços pesados, e não basta isso. Se temos débitos no planeta, por mais alto que ascendamos, é imprescindível voltar para retificar, lavando o rosto no suor do mundo, desatando algemas de ódio e substituindo-as por laços sagrados de amor. Não seria justo impor a outrem a tarefa de mondar[4] o campo que semeamos de espinhos, com as próprias mãos.

---
[4] N.E.: Arrancar ervas daninhas.

5.4   Abanando a cabeça, acrescentava:

— Caso dos muitos chamados, meu caro. O Senhor não esquece homem algum; todavia, raríssimos homens o recordam.

Acabrunhado com a lembrança dos próprios erros, diante de tão grandes noções de responsabilidade individual, objetei:

— Como fui perverso!

Contudo, antes que me alongasse noutras exclamações, o visitador colocou a destra carinhosa em meus lábios, murmurando:

— Cale-se! Meditemos no trabalho a fazer. No arrependimento verdadeiro é preciso saber calar, para construir de novo.

Em seguida, aplicou-me passes magnéticos atenciosamente. Fazendo os curativos na zona intestinal, esclareceu:

— Não observa o tratamento especializado da zona cancerosa? Pois note bem: toda medicina honesta é serviço de amor, atividade de socorro justo, mas o trabalho de cura é peculiar a cada espírito. Meu irmão será tratado carinhosamente, sentir-se-á forte como nos tempos mais belos da sua juventude terrena, trabalhará muito e, creio, será um dos melhores colaboradores em Nosso Lar; entretanto, a causa dos seus males persistirá em si mesmo, até que se desfaça dos germes de perversão da saúde divina, que agregou ao seu corpo sutil pelo descuido moral e pelo desejo de gozar mais que os outros. A carne terrestre, da qual abusamos, é também o campo bendito em que conseguimos realizar frutuosos labores de cura radical, quando permanecemos atentos ao dever justo.

Meditei os conceitos, ponderei a Bondade divina e, na exaltação da sensibilidade, chorei copiosamente.

Lísias, contudo, terminou o tratamento do dia, com serenidade, e falou:

— Quando as lágrimas não se originam da revolta, sempre constituem remédio depurador. Chore, meu amigo. Desabafe o coração. E abençoemos aquelas beneméritas organizações microscópicas que são as células de carne na Terra. Tão humildes e tão preciosas, tão detestadas e tão sublimes pelo espírito de serviço. Sem elas, que nos oferecem templo à retificação, quantos milênios gastaríamos na ignorância?

Assim falando, afagou-me carinhosamente a fronte abatida e despediu-se com um ósculo de amor. **5.5**

6
Precioso aviso

No dia imediato, após a oração do crepúsculo, Clarêncio 6.1 me procurou em companhia do atencioso visitador.

Fisionomia a irradiar generosidade, perguntou, abraçando-me:

— Como vai? Melhorzinho?

Esbocei o gesto do enfermo que se vê acariciado na Terra, amolecendo as fibras emotivas. No mundo, às vezes, o carinho fraterno é mal interpretado. Obedecendo ao velho vício, comecei a explicar-me, enquanto os dois benfeitores sentaram-se comodamente a meu lado:

— Não posso negar que esteja melhor; entretanto, sofro intensamente. Muitas dores na zona intestinal, estranhas sensações de angústia no coração. Nunca supus fosse capaz de tamanha resistência, meu amigo. Ah! como tem sido pesada a minha cruz!... Agora que posso concatenar ideias, creio que a dor me aniquilou todas as forças disponíveis...

Clarêncio ouvia atencioso, demonstrando grande interesse pelas minhas lamentações, sem o menor gesto que denunciasse o propósito de intervir no assunto. Encorajado com essa atitude, continuei:

6.2 — Além do mais, meus sofrimentos morais são enormes e inexprimíveis. Amainada a tormenta exterior com os socorros recebidos, volto agora às tempestades íntimas. Que terá sido feito de minha esposa, de meus filhos? Teria o meu primogênito conseguido progredir, segundo meu velho ideal? E as filhinhas? Minha desventurada Zélia muitas vezes afirmou que morreria de saudades, se um dia eu lhe faltasse. Admirável esposa! Ainda lhe sinto as lágrimas dos momentos derradeiros. Não sei desde quando vivo o pesadelo da distância... Continuadas dilacerações roubaram-me a noção do tempo. Onde estará minha pobre companheira? Chorando junto às cinzas do meu corpo ou nalgum recanto escuro das regiões da morte? Oh! minha dor é muito amarga! Que terrível destino o do homem penhorado no devotamento à família! Creio que raras criaturas terão padecido tanto quanto eu!... No planeta, vicissitudes, desenganos, doenças, incompreensões e amarguras, abafando escassas notas de alegria; depois, os sofrimentos da morte do corpo... Em seguida, martirizações no Além-túmulo! Que será, então, a vida? Sucessivo desenrolar de misérias e lágrimas? Não haverá recurso à semeadura da paz? Por mais que deseje firmar-me no otimismo, sinto que a noção de infelicidade me bloqueia o espírito, como terrível cárcere do coração. Que desventurado destino, generoso benfeitor!...

Chegado a essa altura, o vendaval da queixa me conduzira o barco mental ao oceano largo das lágrimas.

Clarêncio, contudo, levantou-se sereno e falou sem afetação:

— Meu amigo, deseja você, de fato, a cura espiritual?

Ao meu gesto afirmativo, continuou:

— Aprenda, então, a não falar excessivamente de si mesmo, nem comente a própria dor. Lamentação denota enfermidade mental e enfermidade de curso laborioso e tratamento difícil. É indispensável criar pensamentos novos e disciplinar os lábios. Somente conseguiremos equilíbrio, abrindo o coração ao Sol da Divindade. Classificar o esforço necessário de imposição esmagadora, enxergar padecimentos onde há luta edificante, sói identificar indesejável cegueira da alma. Quanto mais utilize o verbo por dilatar considerações dolorosas, no círculo da personalidade, mais duros se tornarão os laços que o prendem a lembranças mesquinhas. O mesmo Pai que vela por sua pessoa, oferecendo-lhe teto generoso nesta casa, atenderá os seus parentes terrestres. Devemos ter nosso agrupamento familiar como sagrada construção, mas sem esquecer que nossas famílias são seções da Família universal, sob a Direção divina. Estaremos a seu lado para resolver dificuldades presentes e estruturar projetos de futuro, mas não dispomos do tempo para voltar a zonas estéreis de lamentação. Além disso, temos, nesta colônia, o compromisso de aceitar o trabalho mais áspero como bênção de realização, considerando que a Providência desborda amor, enquanto nós vivemos onerados de dívidas. Se deseja permanecer nesta casa de assistência, aprenda a pensar com justeza.

6.3 Nesse ínterim, secara-se-me o pranto e, chamado a brios pelo generoso instrutor, assumi diversa atitude, embora envergonhado da minha fraqueza.

— Não disputava você, na carne — prosseguiu Clarêncio, bondoso —, as vantagens naturais decorrentes das boas situações? Não estimava a obtenção de recursos lícitos, ansioso de estender benefícios aos entes amados? Não se interessava pelas remunerações justas, pelas expressões de conforto, com possibilidades de atender à família? Aqui, o programa não é diferente. Apenas divergem os detalhes. Nos círculos carnais, a convenção e a garantia monetária; aqui, o trabalho e as aquisições definitivas do espírito imortal. Dor, para nós, significa possibilidade de enriquecer a alma; a luta constitui caminho para a divina realização. Compreendeu a diferença? As almas débeis, ante o serviço, deitam-se para se queixar aos que passam; as fortes, porém, recebem o serviço como patrimônio sagrado, na movimentação do qual se preparam, a caminho da perfeição. Ninguém lhe condena a saudade justa, nem pretende estancar sua fonte de sentimentos sublimes. Acresce notar, todavia, que o pranto da desesperação não edifica o bem. Se ama, em verdade, a família terrena, é preciso bom ânimo para lhe ser útil.

6.4 Fez-se longa pausa. A palavra de Clarêncio levantara-me para elucubrações mais sadias.

Enquanto meditava a sabedoria da valiosa advertência, meu benfeitor, qual o pai que esquece a leviandade dos filhos para recomeçar serenamente a lição, tornava a perguntar com um belo sorriso:

— Então, como passa? Melhor?

Contente por me sentir desculpado, à maneira da criança que deseja aprender, respondi confortado:

— Vou bem melhor, para melhor compreender a Vontade divina.

7
Explicações de Lísias

Repetiram-se as visitas periódicas de Clarêncio e a atenção   7.1
diária de Lísias.

À medida que procurava habituar-me aos deveres novos, sensações de desafogo me aliviavam o coração. Diminuíram as dores e os impedimentos de locomoção fácil. Notava, porém, que, às recordações mais fortes dos fenômenos físicos, me voltavam a angústia, o receio do desconhecido, a mágoa da inadaptação. Apesar de tudo, encontrava mais segurança dentro de mim.

Deleitava-me, agora, contemplando os horizontes vastos, debruçado às janelas espaçosas. Impressionavam-me, sobretudo, os aspectos da natureza. Quase tudo, melhorada cópia da Terra. Cores mais harmônicas, substâncias mais delicadas. Forrava-se o solo de vegetação. Grandes árvores, pomares fartos e jardins deliciosos. Desenhavam-se montes coroados de luz, em continuidade à planície onde a colônia repousava. Todos os departamentos apareciam cultivados com esmero. A pequena distância, alteavam-se graciosos edifícios. Alinhavam-se a espaços regulares, exibindo formas diversas. Nenhum sem flores à entrada, destacando-se algumas casinhas encantadoras, cercadas por muros de hera, onde rosas diferentes desabrochavam, aqui e ali, adornando o verde de cambiantes variados. Aves de plumagens policromas cruzavam os ares e, de quando em quando, pousavam agrupadas nas torres muito alvas, a se erguerem retilíneas, lembrando lírios gigantescos, rumo ao céu.

7.2   Das janelas largas, observava, curioso, o movimento do parque. Extremamente surpreendido, identificava animais domésticos entre as árvores frondosas, enfileiradas ao fundo.

Nas minhas lutas introspectivas, perdia-me em indagações de toda sorte. Não conseguia atinar com a multiplicidade de formas análogas às do planeta, considerando a circunstância de me encontrar numa esfera propriamente espiritual.

Lísias, o companheiro amável de todos os dias, não regateava explicações.

A morte do corpo não conduz o homem a situações miraculosas, dizia. Todo processo evolutivo implica gradação. Há regiões múltiplas para os desencarnados, como existem planos inúmeros e surpreendentes para as criaturas envolvidas de carne terrestre. Almas e sentimentos, formas e coisas obedecem a princípios de desenvolvimento natural e hierarquia justa.

Preocupava-me, todavia, permanecer ali, num parque de saúde, havia muitas semanas, sem a visita sequer de um conhecido do mundo. Afinal, não fora eu a única pessoa do meu círculo a decifrar o enigma da sepultura. Meus pais me haviam antecipado na grande jornada. Amigos vários, noutro tempo, me haviam precedido. Por que, então, não apareciam naquele quarto de enfermidade espiritual, para conforto do meu coração dolorido? Bastariam alguns momentos de consolação.

Um dia, não pude conter-me e perguntei ao solícito visitador:

— Meu caro Lísias, acha possível, aqui, o encontro com aqueles que nos antecederam na morte do corpo físico? 7.3

— Como não? Pensa que está esquecido?!...

— Sim. Por que não me visitam? Na Terra, sempre contei com a abnegação maternal. Minha mãe, entretanto, até agora não deu sinal de vida. Meu pai, igualmente, fez a grande viagem, três anos antes do meu trespasse.

— Pois note — esclareceu Lísias —, sua mãe o tem ajudado dia e noite, desde a crise que antecipou sua vinda. Quando se acamou para abandonar o casulo terrestre, duplicou-se o interesse maternal a seu respeito. Talvez não saiba ainda que sua permanência nas esferas inferiores durou mais de oito anos consecutivos. Ela jamais desanimou. Intercedeu, muitas vezes, em Nosso Lar, a seu favor. Rogou os bons ofícios de Clarêncio, que começou a visitá-lo frequentemente, até que o médico da Terra, vaidoso, se afastasse um tanto, a fim de surgir o filho dos céus. Compreendeu?

Eu tinha os olhos úmidos. Ignorava o número de anos que me distanciavam da gleba terrestre. Desejei conhecer os processos de proteção imperceptível, mas não consegui. Minhas cordas vocais estavam entorpecidas com o nó de lágrimas represadas no coração.

— No dia em que você orou com tanta alma — prosseguiu o enfermeiro visitador —, quando compreendeu que tudo no universo pertence ao Pai sublime, seu pranto era diferente. Não sabe que há chuvas que destroem e chuvas que criam? Lágrimas há também assim. É lógico que o Senhor não espere por nossas rogativas para nos amar; no entanto, é indispensável nos colocarmos em determinada posição receptiva, a fim de compreender-lhe a infinita bondade. Um espelho enfuscado não reflete a luz. Desse modo, o Pai não precisa de nossas penitências, mas convenhamos que as penitências prestam ótimos serviços a nós mesmos. Entendeu? Clarêncio não teve dificuldade em localizá-lo, atendendo aos apelos de sua carinhosa genitora da Terra; você, porém, demorou muito a encontrar Clarêncio. E quando sua mãezinha soube que o filho havia rasgado os véus escuros com o auxílio da oração, chorou de alegria, segundo me contaram...

7.4 — E onde está minha mãe? — exclamei, por fim. — Se me é permitido, quero vê-la, abraçá-la, ajoelhar-me a seus pés!

— Não vive em Nosso Lar — esclareceu Lísias —, habita esferas mais altas, onde trabalha não somente por você.

Observando meu desapontamento, acrescentou fraterno:

— Virá vê-lo, por certo, antes mesmo do que pensamos. Quando alguém deseja algo ardentemente, já se encontra a caminho da realização. Tem você, nesse particular, a lição do próprio caso. Anos a fio rolou, como pluma, albergando o medo, as tristezas e desilusões, mas, quando mentalizou firmemente a necessidade de receber o auxílio divino, dilatou o padrão vibratório da mente e alcançou visão e socorro.

Olhos brilhantes, encorajado pelo esclarecimento recebido, exclamei resoluto:

— Desejarei, então, com todas as minhas forças... ela virá... ela virá...

Lísias sorriu com inteligência e, como quem previne, generoso, afirmou ao despedir-se:

— Convém não esquecer, contudo, que a realização nobre exige três requisitos fundamentais, a saber: primeiro, desejar; segundo, saber desejar; e, terceiro, merecer, ou, por outros termos, vontade ativa, trabalho persistente e merecimento justo.

O visitador ganhou a porta de saída, sorridente, enquanto eu me detive silencioso, a meditar no extenso programa formulado em tão poucas palavras.

8
Organização de serviços

Decorridas algumas semanas de tratamento ativo, saí, pela primeira vez, em companhia de Lísias. 8.1

Impressionou-me o espetáculo das ruas. Vastas avenidas, enfeitadas de árvores frondosas. Ar puro, atmosfera de profunda tranquilidade espiritual. Não havia, porém, qualquer sinal de inércia ou de ociosidade, porque as vias públicas estavam repletas. Entidades numerosas iam e vinham. Algumas pareciam situar a mente em lugares distantes, mas outras me dirigiam olhares acolhedores. Incumbia-se o companheiro de orientar-me em face das surpresas que surgiam ininterruptas. Percebendo-me as íntimas conjeturas, esclareceu solícito:

— Estamos no local do Ministério do Auxílio. Tudo o que vemos, edifícios, casas residenciais, representa instituições e abrigos adequados à tarefa de nossa jurisdição. Orientadores, operários e outros serviçais da missão residem aqui. Nesta zona, atende-se doentes, ouvem-se rogativas, selecionam-se preces, preparam-se reencarnações terrenas, organizam-se turmas de socorro aos habitantes do Umbral, ou aos que choram na Terra, estudam-se soluções para todos os processos que se prendem ao sofrimento.

8.2 — Há, então, em Nosso Lar, um Ministério do Auxílio? — perguntei.

— Como não? Nossos serviços são distribuídos numa organização que se aperfeiçoa dia a dia, sob a orientação dos que nos presidem os destinos.

Fixando em mim os olhos lúcidos, prosseguiu:

— Não tem visto, nos atos da prece, nosso governador espiritual cercado de 72 colaboradores? Pois são os ministros de Nosso Lar. A colônia, que é essencialmente de trabalho e realização, divide-se em seis Ministérios, orientados, cada qual, por 12 ministros. Temos os Ministérios da Regeneração, do Auxílio, da Comunicação, do Esclarecimento, da Elevação e da União Divina. Os quatro primeiros nos aproximam das esferas terrestres, os dois últimos nos ligam ao plano superior, visto que a nossa cidade espiritual é zona de transição. Os serviços mais grosseiros localizam-se no Ministério da Regeneração, os mais sublimes no da União Divina. Clarêncio, o nosso chefe amigo, é um dos ministros do Auxílio.

Valendo-me da pausa natural, exclamei comovido:

— Oh! nunca imaginei a possibilidade de organizações tão completas, depois da morte do corpo físico!...

— Sim — esclareceu Lísias —, o véu da ilusão é muito denso nos círculos carnais. O homem vulgar ignora que toda manifestação de ordem, no mundo, procede do plano superior. A natureza agreste transforma-se em jardim, quando orientada pela mente do homem, e o pensamento humano, selvagem na criatura primitiva, transforma-se em potencial criador, quando inspirado pelas mentes que funcionam nas esferas mais altas. Nenhuma organização útil se materializa na crosta terrena sem que seus raios iniciais partam de cima.

— Mas Nosso Lar terá igualmente uma história, como as grandes cidades planetárias?   **8.3**

— Sem dúvida. Os planos vizinhos da esfera terráquea possuem, igualmente, natureza específica. Nosso Lar é antiga fundação de portugueses distintos, desencarnados no Brasil no século XVI. A princípio, enorme e exaustiva foi a luta, segundo consta em nossos arquivos no Ministério do Esclarecimento. Há substâncias ásperas nas zonas invisíveis à Terra, tal como nas regiões que se caracterizam pela matéria grosseira. Aqui também existem enormes extensões de potencial inferior, como há, no planeta, grandes tratos de natureza rude e incivilizada. Os trabalhos primordiais foram desanimadores, mesmo para os espíritos fortes. Onde se congregam hoje vibrações delicadas e nobres, edifícios de fino lavor, misturavam-se as notas primitivas dos silvícolas do país e as construções infantis de suas mentes rudimentares. Os fundadores não desanimaram, porém. Prosseguiram na obra, copiando o esforço dos europeus que chegavam à esfera material, apenas com a diferença de que, por lá, se empregava a violência, a guerra, a escravidão, e, aqui, o serviço perseverante, a solidariedade fraterna, o amor espiritual.

A essa altura, atingíramos uma praça de maravilhosos contornos, ostentando extensos jardins. No centro da praça, erguia-se um palácio de magnificente beleza, encabeçado de torres soberanas, que se perdiam no céu.

— Os fundadores da colônia começaram o esforço partindo daqui, onde se localiza a Governadoria — disse o visitador.

Apontando o palácio, continuou:

— Temos, nesta praça, o ponto de convergência dos seis Ministérios a que me referi. Todos começam da Governadoria, estendendo-se em forma triangular.

E, respeitoso, comentou:

— Ali vive o nosso abnegado orientador. Nos trabalhos administrativos, utiliza ele a colaboração de três mil funcionários;

entretanto, é ele o trabalhador mais infatigável e mais fiel que todos nós reunidos. Os ministros costumam excursionar noutras esferas, renovando energias e valorizando conhecimentos; nós outros gozamos entretenimentos habituais, mas o governador nunca dispõe de tempo para isso. Faz questão que descansemos, obriga-nos a férias periódicas, ao passo que ele mesmo quase nunca repousa, mesmo no que concerne às horas de sono. Parece-me que a glória dele é o serviço perene. Basta lembrar que estou aqui há quarenta anos e, com exceção das assembleias referentes às preces coletivas, raramente o tenho visto em festividades públicas. Seu pensamento, porém, abrange todos os círculos de serviço, sua assistência carinhosa a tudo e a todos atinge.

8.4 Depois de longa pausa, o enfermeiro amigo acentuou:

— Não faz muito, comemorou-se o 114º aniversário da sua magnânima direção.

Calava-se Lísias, evidenciando comovida reverência, enquanto eu, a seu lado, contemplava, respeitoso e embevecido, as torres maravilhosas que pareciam cindir o firmamento...

9
Problema de alimentação

Enlevado na visão dos jardins prodigiosos, pedi ao generoso enfermeiro para descansar alguns minutos num banco próximo. Lísias anuiu de bom grado. **9.1**

Agradável sensação de paz me felicitava o espírito. Caprichosos repuxos de água colorida ziguezagueavam no ar, formando figuras encantadoras.

— Quem observa esta colmeia imensa de serviço — ponderei — é induzido a examinar numerosos problemas. E o abastecimento? Não tenho notícia de um Ministério da Economia...

— Antigamente — explicou o paciente interlocutor — os serviços dessa natureza assumiam feição mais destacada. Deliberou, porém, o atual governador, atenuar todas as expressões de vida que nos recordassem os fenômenos puramente materiais. As atividades de abastecimento ficaram, assim, reduzidas a simples serviço de distribuição, sob o controle direto da Governadoria. Aliás, a providência constitui medida das mais benéficas. Rezam os anais que a colônia, há um século, lutava com extremas dificuldades para adaptar os habitantes às leis da simplicidade.

9.2 Muitos recém-chegados ao Nosso Lar duplicavam exigências. Queriam mesas lautas, bebidas excitantes, dilatando velhos vícios terrenos. Apenas o Ministério da União Divina ficou imune de tais abusos, pelas características que lhe são próprias; no entanto, os demais viviam sobrecarregados de angustiosos problemas dessa ordem. O governador atual, todavia, não poupou esforços. Tão logo assumiu obrigações administrativas, adotou providências justas. Antigos missionários daqui puseram-me ao corrente de curiosos acontecimentos. Disseram-me que, a pedido da Governadoria, vieram duzentos instrutores de uma esfera muito elevada, a fim de se espalharem novos conhecimentos relativos à ciência da respiração e da absorção de princípios vitais da atmosfera. Realizaram-se assembleias numerosas. Alguns colaboradores técnicos de Nosso Lar manifestavam-se contrários, alegando que a cidade é de transição e que não seria justo, nem possível, desambientar imediatamente os homens desencarnados, mediante exigências desse teor, sem grave perigo para suas organizações espirituais. O governador, contudo, não desanimou. Prosseguiram as reuniões, providências e atividades, durante trinta anos consecutivos. Algumas entidades eminentes chegaram a formular protestos de caráter público, reclamando. Por mais de dez vezes, o Ministério do Auxílio esteve superlotado de enfermos, que se confessavam vítimas do novo sistema de alimentação deficiente. Nesses períodos, os opositores da redução multiplicavam acusações. O governador, porém, jamais castigou alguém. Convocava os adversários da medida a palácio e expunha-lhes, paternalmente, os projetos e finalidades do regime; destacava a superioridade dos métodos de espiritualização, facilitava aos mais rebeldes inimigos do novo processo variadas excursões de estudo, em planos mais elevados que o nosso, ganhando, assim, maior número de adeptos.

Ante pausa mais longa, reclamei interessado:

— Continue, por favor, meu caro Lísias. Como terminou a luta edificante?

— Depois de 21 anos de perseverantes demonstrações por parte da Governadoria, aderiu o Ministério da Elevação, passando a abastecer-se apenas do indispensável. O mesmo não aconteceu com o Ministério do Esclarecimento, que demorou muito a assumir compromisso, em vista dos numerosos Espíritos dedicados às ciências matemáticas, que ali trabalham. Eram eles os mais teimosos adversários. Mecanizados nos processos de proteínas e carboidratos, imprescindíveis aos veículos físicos, não cediam terreno nas concepções correspondentes daqui. Semanalmente, enviavam ao governador longas observações e advertências, repletas de análises e numerações, atingindo, por vezes, a imprudência. O velho governante, contudo, nunca agiu por si só. Requisitou assistência de nobres mentores, que nos orientam por intermédio do Ministério da União Divina, e jamais deixou o menor boletim de esclarecimento sem exame minucioso. Enquanto argumentavam os cientistas e a Governadoria contemporizava, formavam-se perigosos distúrbios no antigo Departamento de Regeneração, hoje transformado em Ministério. Encorajados pela rebeldia dos cooperadores do Esclarecimento, os Espíritos menos elevados que ali se recolhiam entregaram-se a condenáveis manifestações. Tudo isso provocou enormes cisões nos órgãos coletivos de Nosso Lar, dando ensejo a perigoso assalto das multidões obscuras do Umbral, que tentaram invadir a cidade, aproveitando brechas nos serviços de Regeneração, em que grande número de colaboradores entretinha certo intercâmbio clandestino, em virtude dos vícios de alimentação. Dado o alarme, o governador não se perturbou. Terríveis ameaças pairavam sobre todos. Ele, porém, solicitou audiência ao Ministério da União Divina e, depois de ouvir o nosso mais alto Conselho, mandou fechar provisoriamente o Ministério da Comunicação, determinou funcionassem todos os calabouços da Regeneração, para isolamento dos recalcitrantes, advertiu o Ministério do Esclarecimento, cujas impertinências suportou mais de trinta anos consecutivos, proibiu temporariamente os auxílios às regiões inferiores, e, pela primeira vez na sua administração, mandou ligar as baterias elétricas das muralhas da cidade para emissão de dardos magnéticos a serviço da defesa comum. Não houve combate, nem ofensiva da colônia, mas resistência resoluta. Por mais de seis meses, os serviços de alimentação, em Nosso Lar, foram reduzidos à inalação de princípios vitais da atmosfera, por meio da respiração, e água misturada a elementos solares, elétricos e magnéticos. A colônia ficou, então, sabendo o que vem a ser a indignação do espírito manso e justo. Findo o período mais agudo, a Governadoria estava vitoriosa. O próprio Ministério do Esclarecimento reconheceu o erro e cooperou nos trabalhos de reajustamento. Houve, então, regozijo público e dizem que, em meio da alegria geral, o governador chorou sensibilizado, declarando que a compreensão geral constituía o verdadeiro prêmio ao seu coração. A cidade voltou ao movimento normal. O antigo Departamento da Regeneração foi convertido em Ministério. Desde então, só existe maior suprimento de substâncias alimentícias que lembram a Terra nos Ministérios da Regeneração e do Auxílio, onde há sempre grande número de necessitados. Nos demais há somente o indispensável, isto é, todo o serviço de alimentação obedece a inexcedível sobriedade. Presentemente, todos reconhecem que a suposta impertinência do governador representou medida de elevado alcance para nossa libertação espiritual. Reduziu-se a expressão física e surgiu maravilhoso coeficiente de espiritualidade.

9.4   Lísias silenciou e eu me entreguei a profundos pensamentos sobre a grande lição.

10
No Bosque das Águas

Dado o meu interesse crescente pelos processos de alimentação, Lísias convidou: **10.1**
— Vamos ao grande reservatório da colônia. Lá observará coisas interessantes. Verá que a água é quase tudo em nossa estância de transição.
Curiosíssimo, acompanhei o enfermeiro sem vacilar.
Chegados a extenso ângulo da praça, o generoso amigo acrescentou:
— Esperemos o aeróbus.[5]
Mal me refazia da surpresa, quando surgiu grande carro, suspenso do solo a uma altura de cinco metros mais ou menos e repleto de passageiros. Ao descer até nós, à maneira de um elevador terrestre, examinei-o com atenção. Não era máquina conhecida na Terra. Constituída de material muito flexível, tinha enorme comprimento, parecendo ligada a fios invisíveis,

---

[5] N.E.: Carro aéreo, que seria na Terra um grande funicular.

em virtude do grande número de antenas na tolda. Mais tarde, confirmei minhas suposições, visitando as grandes oficinas do Serviço de Trânsito e Transporte.

10.2   Lísias não me deu tempo a indagações. Aboletados convenientemente no recinto confortável, seguimos silenciosos. Experimentava a timidez natural do homem desambientado entre desconhecidos. A velocidade era tanta que não permitia fixar os detalhes das construções escalonadas no extenso percurso. A distância não era pequena, porque só depois de quarenta minutos, incluindo ligeiras paradas de três em três quilômetros, me convidou Lísias a descer, sorridente e calmo.

Deslumbrou-me o panorama de belezas sublimes. O bosque, em floração maravilhosa, embalsamava o vento fresco de inebriante perfume. Tudo em prodígio de cores e luzes cariciosas. Entre margens bordadas de grama viçosa, toda esmaltada de azulíneas flores, deslizava um rio de grandes proporções. A corrente rolava tranquila, mas tão cristalina que parecia tonalizada em matiz celeste, em vista dos reflexos do firmamento. Estradas largas cortavam a verdura da paisagem. Plantadas a espaços regulares, árvores frondosas ofereciam sombra amiga, à maneira de pousos deliciosos, na claridade do sol confortador. Bancos de caprichosos formatos convidavam ao descanso.

Notando o meu deslumbramento, Lísias explicou:

— Estamos no Bosque das Águas. Temos aqui uma das mais belas regiões de Nosso Lar. Trata-se de um dos locais prediletos para as excursões dos amantes, que aqui vêm tecer as mais lindas promessas de amor e fidelidade para as experiências da Terra.

A observação ensejava considerações muito interessantes, mas Lísias não me deu azo a perguntas nesse particular. Indicando um edifício de enormes proporções, esclareceu:

— Ali é o grande reservatório da colônia. Todo o volume do Rio Azul, que temos à vista, é absorvido em caixas imensas de distribuição. As águas que servem a todas as atividades da colônia partem daqui. Em seguida, reúnem-se novamente, abaixo dos serviços da Regeneração, e voltam a constituir o rio, que prossegue o curso normal, rumo ao grande oceano de substâncias invisíveis para a Terra.

Percebendo-me a indagação íntima, acrescentou:

10.3

— Com efeito, a água aqui tem outra densidade. Muito mais tênue, pura, quase fluídica.

Notando as magníficas construções que me fronteavam, interroguei:

— A que Ministério está afeto o serviço de distribuição?

— Imagine — elucidou Lísias — que este é um dos raros serviços materiais do Ministério da União Divina!

— Que diz? — perguntei, ignorando como conciliar uma e outra coisa.

O visitador sorriu e obtemperou prazenteiro:

— Na Terra quase ninguém cogita seriamente de conhecer a importância da água. Em Nosso Lar, contudo, outros são os conhecimentos. Nos círculos religiosos do planeta, ensinam que o Senhor criou as águas. Ora, é lógico que todo serviço criado precisa de energias e braços para ser convenientemente mantido. Nesta cidade espiritual, aprendemos a agradecer ao Pai e aos seus divinos colaboradores semelhante dádiva. Conhecendo-a mais intimamente, sabemos que a água é veículo dos mais poderosos para os fluidos de qualquer natureza. Aqui, ela é empregada sobretudo como alimento e remédio. Há repartições no Ministério do Auxílio absolutamente consagradas à manipulação de água pura, com certos princípios suscetíveis de serem captados na luz do Sol e no magnetismo espiritual. Na maioria das regiões da extensa colônia, o sistema de alimentação tem aí suas bases. Acontece, porém, que só os ministros da União Divina são detentores do maior padrão de Espiritualidade superior, entre nós, e cabe a eles a magnetização geral das águas do Rio Azul, a fim de que sirvam a todos os habitantes de Nosso Lar, com a pureza imprescindível. Fazem eles o serviço inicial de limpeza, e os institutos realizam trabalhos específicos, no suprimento de substâncias alimentares e curativas. Quando os diversos fios da corrente se reúnem de novo, no ponto longínquo, oposto a este bosque, ausenta-se o rio de nossa zona, conduzindo em seu seio nossas qualidades espirituais.

10.4   Eu estava embevecido com as explicações.

— No planeta — objetei —, jamais recebi elucidações desta natureza.

— O homem é desatento, há muitos séculos — tornou Lísias —; o mar equilibra-lhe a moradia planetária, o elemento aquoso fornece-lhe o corpo físico, a chuva dá-lhe o pão, o rio organiza-lhe a cidade, a presença da água oferece-lhe a bênção do lar e do serviço; entretanto, ele sempre se julga o absoluto dominador do mundo, esquecendo que é filho do Altíssimo, antes de qualquer consideração. Virá tempo, contudo, em que copiará nossos serviços, encarecendo a importância dessa dádiva do Senhor. Compreenderá, então, que a água, como fluido criador, absorve, em cada lar, as características mentais de seus moradores. A água, no mundo, meu amigo, não somente carreia os resíduos dos corpos, mas também as expressões de nossa vida mental. Será nociva nas mãos perversas, útil nas mãos generosas e, quando em movimento, sua corrente não só espalhará bênção de vida, mas constituirá igualmente um veículo da Providência divina, absorvendo amarguras, ódios e ansiedades dos homens, lavando-lhes a casa material e purificando-lhes a atmosfera íntima.

Calou-se o interlocutor em atitude reverente, enquanto meus olhos fixaram a corrente tranquila a despertar-me sublimes pensamentos.

11
Notícias do plano

Desejaria meu generoso companheiro facultar-me observações diferentes, nos diversos bairros da colônia, mas obrigações imperiosas chamavam-no ao posto. 11.1

— Terá você ocasião de conhecer as diversas regiões dos nossos serviços — exclamou bondosamente —, pois, conforme vê, os Ministérios do Nosso Lar são enormes células de trabalho ativo. Nem mesmo alguns dias de estudo oferecem ensejo à visão detalhada de um só deles. Não lhe faltará oportunidade, porém. Ainda que me não seja possível acompanhá-lo, Clarêncio tem poderes para obter-lhe ingresso fácil em qualquer dependência.

Voltamos ao ponto de passagem do aeróbus, que não se fez esperar.

Agora, sentia-me quase à vontade. A presença de muitos passageiros não me constrangia. A experiência anterior fizera-me benefícios enormes. Esfervilhava-me o cérebro de úteis indagações. Interessado em resolvê-las, aproveitei o minuto para valer-me do companheiro, quanto possível.

11.2 — Lísias, amigo — perguntei —, poderá informar-me se todas as colônias espirituais são idênticas a esta? Os mesmos processos, as mesmas características?

— De modo algum. Se nas esferas materiais, cada região e cada estabelecimento revelam traços peculiares, imagine a multiplicidade de condições em nossos planos. Aqui, tal como na Terra, as criaturas se identificam pelas fontes comuns de origem e pela grandeza dos fins que devem atingir, mas importa considerar que cada colônia, como cada entidade, permanece em degraus diferentes na grande ascensão. Todas as experiências de grupo diversificam-se entre si e Nosso Lar constitui uma experiência coletiva dessa natureza. Segundo nossos arquivos, muitas vezes os que nos antecederam buscaram inspiração nos trabalhos de abnegados trabalhadores de outras esferas; em compensação, outros agrupamentos buscam o nosso concurso para outras colônias em formação. Cada organização, todavia, apresenta particularidades essenciais.

Observando que o intervalo se fazia mais longo, interroguei:

— Partiu daqui a interessante formação de Ministérios?

— Sim, os missionários da criação de Nosso Lar visitaram os serviços de Alvorada Nova, uma das colônias espirituais mais importantes que nos circunvizinham, e ali encontraram a divisão por departamentos. Adotaram o processo, mas substituíram a palavra departamento por ministério, com exceção dos serviços regeneradores, que, somente com o governador atual, conseguiram elevação. Assim procederam, considerando que a organização em Ministérios é mais expressiva, como definição de espiritualidade.

— Muito bem! — acrescentei.

— E não é tudo — prosseguiu o enfermeiro atencioso —, a instituição é eminentemente rigorosa no que concerne à ordem e à hierarquia. Nenhuma condição de destaque é concedida aqui a título de favor. Somente quatro entidades conseguiram ingressar, com responsabilidade definida, no curso de dez anos, no Ministério da União Divina. Em geral, todos nós, decorrido longo estágio de serviço e aprendizado, voltamos a reencarnar, para atividades de aperfeiçoamento.

Enquanto eu ouvia essas informações, justamente curioso, **11.3** Lísias continuava:

— Quando os recém-chegados das zonas inferiores do Umbral se revelam aptos a receber cooperação fraterna, demoram no Ministério do Auxílio; quando, porém, se mostram refratários, são encaminhados ao Ministério da Regeneração. Se revelam proveito, com o correr do tempo são admitidos aos trabalhos de Auxílio, Comunicação e Esclarecimento, a fim de se prepararem, com eficiência, para futuras tarefas planetárias. Somente alguns conseguem atividade prolongada no Ministério da Elevação, e raríssimos, em cada dez anos, os que alcançam intimidade nos trabalhos da União Divina. E não suponha que os testemunhos sejam vagas expressões de atividade idealista. Já não estamos na esfera do globo, onde o desencarnado é promovido compulsoriamente a fantasma. Vivemos em círculo de demonstrações ativas. As tarefas de Auxílio são laboriosas e complicadas, os deveres no Ministério da Regeneração constituem testemunhos pesadíssimos, os trabalhos na Comunicação exigem alta noção da responsabilidade individual, os campos do Esclarecimento requisitam grande capacidade de trabalho e valores intelectuais profundos, o Ministério da Elevação pede renúncia e iluminação, as atividades da União Divina requerem conhecimento justo e sincera aplicação do Amor universal. A Governadoria, por sua vez, é sede movimentada de todos os assuntos administrativos, numerosos serviços de controle direto, como, por exemplo, o de alimentação, distribuição de energias elétricas, trânsito, transporte e outros. Aqui, em verdade, a lei do descanso é rigorosamente observada, para que determinados servidores não fiquem mais sobrecarregados que outros, mas a lei do trabalho é também rigorosamente cumprida. No que concerne ao repouso, a única exceção é o próprio governador, que nunca aproveita o que lhe toca nesse terreno.

11.4 — Mas nunca se ausenta ele do palácio? — interroguei.

— Somente nas ocasiões que o bem público o exige. A não ser em obediência a esse imperativo, o governador vai semanalmente ao Ministério da Regeneração, que representa a zona de Nosso Lar onde há maior número de perturbações, dada a sintonia de muitos dos seus abrigados com os irmãos do Umbral. Numerosas multidões de Espíritos desviados ali se encontram recolhidas. Aproveita ele, pois, as tardes de domingo, depois de orar com a cidade no Grande Templo da Governadoria, para cooperar com os ministros da Regeneração, atendendo-lhes os difíceis problemas de trabalho. Nesse mister, priva-se, às vezes, de alegrias sagradas, amparando desorientados e sofredores.

Deixara-nos o aerôbus nas vizinhanças do hospital, onde me aguardava o aposento confortador.

Em plena via pública, ouviam-se, tal qual observara à saída, belas melodias atravessando o ar. Notando-me a expressão indagadora, Lísias explicou fraternalmente:

— Essas músicas procedem das oficinas onde trabalham os habitantes de Nosso Lar. Após consecutivas observações, reconheceu a Governadoria que a música intensifica o rendimento do serviço, em todos os setores de esforço construtivo. Desde então, ninguém trabalha em Nosso Lar sem esse estímulo de alegria.

Nesse ínterim, porém, chegáramos à portaria. Atencioso enfermeiro adiantou-se e notificou:

— Irmão Lísias, chamam-no ao pavilhão da direita para serviço urgente.

O companheiro afastou-se, calmo, enquanto eu me recolhi ao aposento particular, repleto de indagações íntimas.

12
O Umbral

Após receber tão valiosas elucidações, aguçava-se-me o 12.1
desejo de intensificar a aquisição de conhecimentos relativos a
diversos problemas que a palavra de Lísias sugeria. As referências a Espíritos do Umbral mordiam-me a curiosidade. A ausência de preparação religiosa no mundo dá motivo a dolorosas
perturbações. Que seria o Umbral? Conhecia, apenas, a ideia do
inferno e do purgatório, pelos sermões ouvidos nas cerimônias
católico-romanas a que assistira, obedecendo a preceitos protocolares. Desse Umbral, porém, nunca tivera notícias.

Ao primeiro encontro com o generoso visitador, minhas perguntas não se fizeram esperar. Lísias ouviu-me atencioso e replicou:

— Ora, ora, pois você andou detido por lá tanto tempo e
não conhece a região?

Recordei os sofrimentos passados, experimentando arrepios de horror.

— O Umbral — continuou ele, solícito — começa na
crosta terrestre. É a zona obscura de quantos no mundo não se

resolveram a atravessar as portas dos deveres sagrados, a fim de cumpri-los, demorando-se no vale da indecisão ou no pântano dos erros numerosos. Quando o Espírito reencarna, promete cumprir o programa de serviços do Pai; entretanto, ao recapitular experiências no planeta, é muito difícil fazê-lo, para só procurar o que lhe satisfaça ao egoísmo. Assim é que mantidos são o mesmo ódio aos adversários e a mesma paixão pelos amigos. Mas nem o ódio é justiça, nem a paixão é amor. Tudo o que excede, sem aproveitamento, prejudica a economia da vida. Pois bem: todas as multidões de desequilibrados permanecem nas regiões nevoentas, que se seguem aos fluidos carnais. O dever cumprido é uma porta que atravessamos no Infinito, rumo ao continente sagrado da união com o Senhor. É natural, portanto, que o homem esquivo à obrigação justa tenha essa bênção indefinidamente adiada.

12.2   Notando-me a dificuldade para apreender todo o conteúdo do ensinamento, com vistas à minha quase total ignorância dos princípios espirituais, Lísias procurou tornar a lição mais clara:

— Imagine que cada um de nós, renascendo no planeta, é portador de um fato sujo, para lavar no tanque da vida humana. Essa roupa imunda é o corpo causal, tecido por nossas mãos, nas experiências anteriores. Compartilhando, de novo, as bênçãos da oportunidade terrestre, esquecemos, porém, o objetivo essencial, e, em vez de nos purificarmos pelo esforço da lavagem, manchamo-nos ainda mais, contraindo novos laços e encarcerando-nos a nós mesmos em verdadeira escravidão. Ora, se ao voltarmos ao mundo procurávamos um meio de fugir à sujidade, pelo desacordo de nossa situação com o meio elevado, como regressar a esse mesmo ambiente luminoso em piores condições? O Umbral funciona, portanto, como região destinada a esgotamento de resíduos mentais; uma espécie de zona purgatorial, onde se queima a prestações o material deteriorado das ilusões que a criatura adquiriu por atacado, menosprezando o sublime ensejo de uma existência terrena.

A imagem não podia ser mais clara, mais convincente.

12.3

Não havia como disfarçar minha justa admiração. Compreendendo o efeito benéfico que me traziam aqueles esclarecimentos, Lísias continuou:

— O Umbral é região de profundo interesse para quem esteja na Terra. Concentra-se, aí, tudo o que não tem finalidade para a vida superior. E note você que a Providência divina agiu sabiamente, permitindo se criasse tal departamento em torno do planeta. Há legiões compactas de almas irresolutas e ignorantes que não são suficientemente perversas para serem enviadas a colônias de reparação mais dolorosa, nem bastante nobres para serem conduzidas a planos de elevação. Representam fileiras de habitantes do Umbral, companheiros imediatos dos homens encarnados, separados deles apenas por leis vibratórias. Não é de estranhar, portanto, que semelhantes lugares se caracterizem por grandes perturbações. Lá vivem, agrupam-se, os revoltados de toda espécie. Formam, igualmente, núcleos invisíveis de notável poder, pela concentração das tendências e desejos gerais. Muita gente da Terra não recorda que se desespera quando o carteiro não vem, quando o comboio não aparece? Pois o Umbral está repleto de desesperados. Por não encontrarem o Senhor à disposição dos seus caprichos, após a morte do corpo físico, e, sentindo que a coroa da vida eterna é a glória intransferível dos que trabalham com o Pai, essas criaturas se revelam e demoram em mesquinhas edificações. Nosso Lar tem uma sociedade espiritual, mas esses núcleos possuem infelizes, malfeitores e vagabundos de várias categorias. É zona de verdugos e vítimas, de exploradores e explorados.

Valendo-me da pausa, que se fizera espontânea, exclamei impressionado:

12.4   — Como explicar? Então não há por lá defesa, organização?

Sorriu o interlocutor, esclarecendo:

— Organização é atributo dos Espíritos organizados. Que quer você? A zona inferior a que nos referimos é qual a casa onde não há pão: todos gritam e ninguém tem razão. O viajante distraído perde o comboio, o agricultor que não semeou não pode colher. Uma certeza, porém, posso dar-lhe: — não obstante as sombras e angústias do Umbral, nunca faltou lá a proteção divina. Cada Espírito lá permanece o tempo que se faça necessário. Para isso, meu amigo, permitiu o Senhor se erigissem muitas colônias como esta, consagradas ao trabalho e ao socorro espiritual.

— Creio, então — observei —, que essa esfera se mistura quase com a esfera dos homens.

— Sim — confirmou o dedicado amigo —, e é nessa zona que se estendem os fios invisíveis que ligam as mentes humanas entre si. O plano está repleto de desencarnados e de formas-pensamento dos encarnados, porque, em verdade, todo Espírito, esteja onde estiver, é um núcleo irradiante de forças que criam, transformam ou destroem, exteriorizadas em vibrações que a ciência terrestre presentemente não pode compreender. Quem pensa está fazendo alguma coisa alhures. E é pelo pensamento que os homens encontram no Umbral os companheiros que afinam com as tendências de cada um. Toda alma é um ímã poderoso. Há uma extensa humanidade invisível que se segue à humanidade visível. As missões mais laboriosas do Ministério do Auxílio são constituídas por abnegados servidores, no Umbral, porque se a tarefa dos bombeiros nas grandes cidades terrenas é difícil, pelas labaredas e ondas de fumo que os defrontam, os missionários do Umbral encontram fluidos pesadíssimos emitidos sem cessar por milhares de mentes desequilibradas, na prática do mal, ou terrivelmente flageladas nos sofrimentos retificadores. São necessárias muita coragem e muita renúncia para ajudar a quem nada compreende do auxílio que se lhe oferece.

Interrompera-se Lísias. Sumamente impressionado, exclamei: **12.5**

— Ah! como desejo trabalhar junto dessas legiões de infelizes, levando-lhes o pão espiritual do esclarecimento!

O enfermeiro amigo fixou-me bondosamente e, depois de meditar em silêncio, por largos instantes, acentuou, ao despedir-se:

— Será que você se sente com o preparo indispensável a semelhante serviço?

13
No gabinete do ministro

Com as melhoras crescentes, surgia a necessidade de mo-   **13.1**
vimentação e trabalho. Decorrido tanto tempo, esgotados anos
difíceis de luta, volvia-me o interesse pelos afazeres que enchem
o dia útil de todo homem normal no mundo. Incontestável que
havia perdido excelentes oportunidades na Terra; que muitas
falhas me assinalavam o caminho. Agora, porém, recordava os
quinze anos de clínica, sentindo um certo "vazio" no coração.
Identificava-me como vigoroso agricultor em pleno campo, de
mãos atadas e impossibilitado de atacar o trabalho. Cercado
de enfermos, não podia aproximar-me, como noutros tempos,
reunindo em mim o amigo, o médico e o pesquisador. Ouvindo gemidos incessantes nos apartamentos contíguos, não me
era lícita nem mesmo a função de enfermeiro e colaborador nos
casos de socorro urgente. Claro que não me faltava desejo. Minha posição ali, contudo, era assaz humilde para me atrever. Os
médicos espirituais eram detentores de técnica diferente. No
planeta, sabia que meu direito de intervir começava nos livros

conhecidos e nos títulos conquistados, mas, naquele ambiente novo, a Medicina começava no coração, exteriorizando-se em amor e cuidado fraternal. Qualquer enfermeiro, dos mais simples, em Nosso Lar, tinha conhecimentos e possibilidades muito superiores à minha ciência. Inexequível, portanto, qualquer tentativa de trabalho espontâneo, por constituir, a meu ver, invasão de seara alheia.

13.2   No apuro de tais dificuldades, Lísias era o amigo indicado às minhas confidências de irmão.

Interpelado, esclareceu:

— Por que não pedir o socorro de Clarêncio? Atendê-lo-á por certo. Peça-lhe conselhos. Ele pergunta sempre por sua pessoa e tudo fará a seu favor.

Animou-me grande esperança. Consultaria o ministro do Auxílio.

Iniciando, contudo, as providências, fui informado de que o generoso benfeitor somente poderia atender na manhã seguinte, no gabinete particular.

Esperei ansioso o momento oportuno.

No dia imediato, muito cedo, procurei o local indicado. Qual não foi, porém, minha surpresa quando vi que três pessoas lá estavam aguardando Clarêncio, em identidade de circunstâncias!

O delicado ministro do Auxílio chegara muito antes de nós e atendia a assuntos mais importantes que a recepção de visitas e solicitações.

Terminado o serviço urgente, começou a chamar-nos, dois a dois. Impressionou-me tal processo de audiência. Soube, porém, mais tarde, que ele aproveitava esse método para que os pareceres fornecidos a qualquer interessado servissem igualmente a outros, assim atendendo a necessidades de ordem geral, ganhando tempo e proveito.

Decorridos muitos minutos, chegou-me a vez.

Penetrei no gabinete em companhia de uma senhora idosa, que seria ouvida em primeiro lugar, por ordem de precedência. O ministro recebeu-nos cordial, deixando-nos à vontade para discorrer.

— Nobre Clarêncio — começou a companheira desconhecida —, venho pedir seus bons ofícios a favor de meus dois filhos. Ah! já não tolero tantas saudades e estou informada de que ambos vivem exaustos e sobrecarregados de infortúnios no ambiente terrestre. Reconheço que os desígnios do Pai são justos e amorosos; no entanto, sou mãe! Não consigo subtrair-me ao peso da angústia!...

E a pobre criatura se desfez, ali mesmo, em copioso pranto. O ministro, dirigindo-lhe um olhar de fraternidade, embora conservasse intacta a energia pessoal, respondeu bondoso:

— Mas, se a irmã reconhece que os desígnios do Pai são justos e santos, que me cabe fazer?

— Desejava — replicou aflita — que me concedesse recursos para protegê-los, eu mesma, nas esferas do globo!...

— Ah! minha amiga — disse o benfeitor amorável —, só no espírito de humildade e de trabalho é possível a nós outros proteger alguém. Que me diz de um pai terrestre que desejasse ajudar os filhinhos, mantendo-se em absoluta quietação no conforto do lar? O Pai criou o serviço e a cooperação como leis que ninguém pode trair sem prejuízo próprio. Nada lhe diz a consciência neste sentido? Quantos bônus-hora[6] poderá apresentar em benefício de sua pretensão?

A interpelada respondeu hesitante:

— Trezentos e quatro.

— É de lamentar — elucidou Clarêncio, sorrindo —, pois aqui se hospeda, há mais de seis anos, e apenas deu à colônia, até

---

[6] Nota do autor espiritual: Ponto relativo a cada hora de serviço.

hoje, 304 horas de trabalho. Entretanto, logo que se restabeleceu das lutas sofridas em região inferior, ofereci-lhe atividade louvável na Turma de Vigilância, do Ministério da Comunicação...

— Mas aquilo por lá era serviço intolerável — atalhou a interlocutora —, uma luta incessante contra entidades malfazejas. Era natural que não me adaptasse.

Clarêncio continuou, imperturbável:

— Coloquei-a, depois, entre os irmãos da Suportação, nas tarefas regeneradoras.

— Pior! — exclamou a senhora. — Aqueles apartamentos andam repletos de pessoas imundas. Palavrões, indecências, miséria...

— Reconhecendo suas dificuldades — esclareceu o ministro —, enviei-a a cooperar na Enfermagem dos Perturbados.

— Mas quem os tolerará, senão os santos? — inquiriu a pedinte rebelde. — Fiz o possível; entretanto, aquela multidão de almas desviadas assombra a qualquer!

— Não ficaram aí meus esforços — replicou o benfeitor sem se perturbar —, localizei-a nos Gabinetes de Investigações e Pesquisas do Ministério do Esclarecimento e, contudo, talvez enfadada com as minhas providências, a irmã se recolheu, deliberadamente, aos Campos de Repouso.

— Era, também, impossível continuar ali — disse a impertinente —, só encontrei experiências exaustivas, fluidos estranhos, chefes ásperos.

— Pois note, minha amiga — esclareceu o devotado e seguro orientador —, o trabalho e a humildade são as duas margens do caminho do auxílio. Para ajudarmos alguém, precisamos de irmãos que se façam cooperadores, amigos, protetores e servos nossos. Antes de amparar os que amamos, é indispensável estabelecer correntes de simpatia. Sem a cooperação é impossível atender com eficiência. O camponês que cultiva a terra alcança a gratidão dos que saboreiam os frutos. O operário que entende os chefes exigentes, executando-lhes as determinações, representa o sustentáculo do lar em que o Senhor o colocou. O servidor que obedece, construindo, conquista os superiores, companheiros e interessados no serviço. E nenhum administrador intermediário poderá ser útil aos que ama, se não souber servir e obedecer nobremente. Fira-se o coração, experimente-se a dificuldade, mas que saiba cada qual que o serviço útil pertence, acima de tudo, ao Doador universal.

Depois de pequena pausa, continuou: **13.5**

— Que fará, pois, na Terra se não aprendeu ainda a suportar coisa alguma? Não duvido da sua dedicação aos filhos queridos, mas importa notar que haveria de comparecer por lá, como mãe paralítica, incapaz de prestar socorro justo. Para que qualquer de nós alcance a alegria de auxiliar os amados, faz-se necessária a interferência de muitos a quem tenhamos ajudado, por nossa vez. Os que não cooperam não recebem cooperação. Isso é da lei eterna. E se minha irmã nada acumulou de seu para dar, é justo que procure a contribuição amorosa dos outros. Mas como receber a colaboração imprescindível, se ainda não semeou, nem mesmo a simples simpatia? Volte aos Campos de Repouso, onde se abrigou ultimamente, e reflita. Examinaremos depois o assunto com a devida atenção.

Sentou-se a mãe inquieta, enxugando lágrimas copiosas.

Em seguida, o ministro fitou-me compassivamente e falou:

— Aproxime-se, meu amigo!

Levantei-me, hesitante, para conversar.

14
Elucidações de Clarêncio

Pulsava-me precípite o coração, fazendo-me lembrar o 14.1
aprendiz bisonho diante de examinadores rigorosos. Vendo aquela mulher em lágrimas e ponderando a energia serena do ministro do Auxílio, tremia dentro de mim mesmo, arrependido de haver provocado aquela audiência. Não seria melhor calar, aprendendo a esperar deliberações superiores? Não seria presunção descabida pedir atribuições de médico naquela casa, onde permanecia como enfermo? A sinceridade de Clarêncio, para com a irmã que me antecedera, despertara-me raciocínios novos. Quis desistir, renunciar ao desejo da véspera e voltar ao aposento, mas era impossível. O ministro do Auxílio, como se adivinhasse meus propósitos mais íntimos, exclamou em tom firme:

— Pronto a ouvi-lo.

Ia solicitar instintivamente qualquer serviço médico em Nosso Lar, embora a indecisão que me dominava; entretanto, a consciência me advertia: Por que referir-se a serviço especializado? Não seria repetir os erros humanos, dentro dos quais a vaidade não tolera outro gênero de atividade senão o correspondente aos preconceitos dos títulos nobiliárquicos ou acadêmicos? Esta ideia equilibrava-me a tempo. Bastante confundido, falei:

14.2 — Tomei a liberdade de vir até aqui rogar seus bons ofícios para que me reintegre no trabalho. Ando saudoso dos meus misteres, agora que a generosidade do Nosso Lar me reconduziu à bênção da harmonia orgânica. Qualquer trabalho útil me interessa, desde que me afaste da inação.

Clarêncio fitou-me longamente, como a identificar-me as intenções mais íntimas.

— Já sei. Verbalmente pede qualquer gênero de tarefa, mas, no fundo, sente falta dos seus clientes, do seu gabinete, da paisagem de serviço com que o Senhor honrou sua personalidade na Terra.

Até aí, as palavras dele eram jatos de conforto e esperança, que eu recebia no coração com gestos confirmativos.

Depois de uma pausa mais longa, porém, o ministro prosseguiu:

— Convém notar, todavia, que às vezes o Pai nos honra com a sua confiança e nós desvirtuamos os verdadeiros títulos de serviço. Você foi médico na Terra, cercado de todas as facilidades, no capítulo dos estudos. Nunca soube o preço de um livro, porque seus pais, generosos, lhe custeavam todas as despesas. Logo depois de graduado, começou a receber proventos compensadores, não teve sequer as dificuldades do médico pobre, compelido a mobilizar relações afetivas para fazer clínica. Prosperou tão rapidamente que transformou facilidades conquistadas em carreira para a morte prematura do corpo. Enquanto moço e sadio, cometeu numerosos abusos, dentro do quadro de trabalho a que Jesus o conduziu.

Ante aquele olhar firme e bondoso ao mesmo tempo, estranha perturbação apossara-se de mim.

Respeitosamente, ponderei:

14.3 — Reconheço a procedência das observações, mas, se possível, estimaria obter meios de resgatar meus débitos, consagrando-me sinceramente aos enfermos deste parque hospitalar.

— Impulso muito nobre — disse Clarêncio sem austeridade —; contudo, é preciso convir que toda tarefa na Terra, no campo das profissões, é convite do Pai para que o homem penetre os templos divinos do trabalho. O título, para nós, é simplesmente uma ficha, mas, no mundo, costuma representar uma porta aberta a todos os disparates. Com essa ficha, o homem fica habilitado a aprender nobremente e a servir ao Senhor, no quadro de seus divinos serviços no planeta. Tal princípio é aplicável a todas as atividades terrestres, excluída a convenção dos setores nos quais se desdobrem. Meu irmão recebeu uma ficha de médico. Penetrou o templo da Medicina, mas sua ação, lá dentro, não se verificou em normas que me autorizem a endossar seus atuais desejos. Como transformá-lo, de um momento para outro, em médico de Espíritos enfermos, quando fez questão de circunscrever observações exclusivamente à esfera do corpo físico? Não nego sua capacidade de excelente fisiologista, mas o campo da vida é muito extenso. Que me diz de um botânico que alinhasse definições apenas com o exame das cascas secas de algumas árvores? Grande número de médicos, na Terra, prefere apenas a conclusão matemática diante dos serviços de anatomia. Concordemos que a Matemática é respeitável, mas não é a única ciência do universo. Como reconhece agora, o médico não pode estacionar em diagnósticos e terminologias. Há que penetrar a alma, sondar-lhe as profundezas. Muitos profissionais da Medicina, no planeta, são prisioneiros das salas acadêmicas, porque a vaidade lhes roubou a chave do cárcere. Raros conseguem atravessar o pântano dos interesses inferiores, sobrepor-se a preconceitos comuns e, para essas exceções, reservam-se as zombarias do mundo e o escárnio dos companheiros.

14.4   Fiquei atônito. Não conhecia tais noções de responsabilidade profissional. Assombrava-me a interpretação do título acadêmico, reduzido à ficha de ingresso em zonas de trabalho para cooperação ativa com o Senhor supremo. Incapaz de intervir, aguardei que o ministro do Auxílio retomasse o fio das elucidações.

— Conforme deduz — continuou ele —, não se preparou convenientemente para os nossos serviços aqui.

— Generoso benfeitor — atrevi-me a dizer —, compreendo a lição e curvo-me à evidência.

E, fazendo esforço por conter as lágrimas, pedi humilde:

— Submeto-me a qualquer trabalho nesta colônia de realização e paz.

Com um profundo olhar de simpatia, respondeu:

— Meu amigo, não possuo apenas verdades amargas. Tenho igualmente a palavra de estímulo. Não pode ainda ser médico em Nosso Lar, mas poderá assumir o cargo de aprendiz, oportunamente. Sua posição atual não é das melhores; entretanto, é confortadora, pelas intercessões chegadas ao Ministério do Auxílio, a seu favor.

— Minha mãe? — perguntei, inebriado de alegria.

— Sim — esclareceu o ministro —, sua mãe e outros amigos, no coração dos quais você plantou a semente da simpatia. Logo após sua vinda, pedi ao Ministério do Esclarecimento providenciasse a obtenção de suas notas, que examinei atentamente. Muita imprevidência, numerosos abusos e muita irreflexão, mas, nos quinze anos de sua clínica, também proporcionou receituário gratuito a mais de seis mil necessitados. Na maioria das vezes, praticou esses atos meritórios absolutamente por troça, mas, presentemente, pode verificar que, mesmo por troça, o verdadeiro bem espalha bênçãos em nossos caminhos. Desses beneficiados, 15 não o esqueceram e têm enviado, até aqui, veementes apelos a seu favor. Devo esclarecer, no entanto, que mesmo o bem que proporcionou aos indiferentes surge aqui a seu favor.

Concluindo, a sorrir, as elucidações surpreendentes, Clarêncio acentuou: **14.5**

— Aprenderá lições novas em Nosso Lar e, depois de experiências úteis, cooperará eficientemente conosco, preparando-se para o futuro infinito.

Sentia-me radiante. Pela primeira vez, chorei de alegria na colônia. Oh! quem poderá entender, na Terra, semelhante júbilo? Por vezes, é preciso se cale o coração no grandiloquente silêncio divino.

15
A visita materna

Atento às recomendações de Clarêncio, procurava reconstituir energias para recomeçar o aprendizado. Noutro tempo, talvez me sentisse ofendido com as observações aparentemente tão ríspidas, mas, naquelas circunstâncias, lembrava meus erros antigos e sentia-me confortado. Os fluidos carnais compelem a alma a profundas sonolências. Em verdade, apenas agora reconhecia que a experiência humana, em hipótese alguma, poderia ser levada à conta de brincadeira. A importância da encarnação na Terra surgia-me aos olhos, evidenciando grandezas até então ignoradas. Considerando as oportunidades perdidas, reconhecia não merecer a hospitalidade de Nosso Lar. Clarêncio tinha dobradas razões para falar-me com aquela franqueza. 15.1

Passei dias entregue a profundas reflexões sobre a vida. No íntimo, grande ansiedade de rever o lar terreno. Abstinha-me, porém, de pedir novas concessões. Os benfeitores do Ministério do Auxílio eram excessivamente generosos para comigo. Adivinhavam-me os pensamentos. Se até ali não me haviam proporcionado satisfação espontânea a semelhante desejo, é que tal propósito não seria oportuno. Calava-me, então, resignado e algo triste. Lísias fazia o possível por alegrar-me com os seus pareceres consoladores. Eu estava, porém, nessa fase de recolhimento inexprimível, em que o homem é chamado para dentro de si mesmo, pela consciência profunda.

15.2 Um dia, contudo, o bondoso visitador penetrou radiante no meu apartamento, exclamando:

— Adivinhe quem chegou à sua procura!

Aquela fisionomia alegre, aqueles olhos brilhantes de Lísias não me enganavam.

— Minha mãe! — respondi confiante.

Olhos arregalados de alegria, vi minha mãe entrar de braços estendidos.

— Filho! Meu filho! Vem a mim, querido meu!

Não posso dizer o que se passou então. Senti-me criança, como no tempo em que brincava à chuva, pés descalços, na areia do jardim. Abracei-me a ela carinhoso, chorando de júbilo, experimentando os mais sagrados transportes da ventura espiritual. Beijei-a repetidas vezes, apertei-a nos braços, misturei minhas lágrimas com as suas lágrimas, e não sei quanto tempo estivemos juntos, abraçados. Afinal, foi ela quem me despertou do enlevo, recomendando:

— Vamos, filho, não te emociones tanto assim! A alegria também, quando excessiva, costuma castigar o coração.

E, em vez de carregar minha adorada velhinha nos braços, como fazia na Terra, nos derradeiros tempos de sua romagem por lá, foi ela quem me enxugou o pranto copioso, conduzindo-me ao divã.

— Estás ainda fraco, filhinho. Não desperdices energias.

Sentei-me a seu lado e ela, cuidadosamente, ajeitou-me a fronte cansada, em seus joelhos, afagando-me de leve, confortando-me à luz de santas recordações. Senti-me, então, o mais venturoso dos homens. Guardava a impressão de haver o barco de minha esperança ancorado em porto mais seguro. A presença maternal constituía infinito reconforto ao meu coração. Aqueles minutos davam-me a ideia de um sonho tecido em trama de felicidade indizível. Qual menino que procura detalhes, fixava-lhe as vestes, cópia perfeita de um dos seus velhos trajes caseiros. Notando-lhe o vestido escuro, as meias de lã, a mantilha azul, contemplei a cabeça pequenina, aureolada a fios de neve, as rugas do rosto, o olhar doce e calmo de todos os dias. Mãos trêmulas de contentamento, acariciava-lhe as mãos queridas, sem conseguir articular uma frase. Minha mãe, todavia, mais forte que eu, falou com serenidade:

— Nunca saberemos agradecer a Deus tamanhas dádivas. **15.3** O Pai jamais nos esquece, meu filho. Que longo tempo de separação! Não julgues, porém, que me houvesse esquecido. Às vezes, a Providência separa os corações, temporariamente, para que aprendamos o amor divino.

Identificando-lhe a ternura de todos os tempos, senti que se me reavivavam as chagas terrenas. Oh! como é difícil alijar resíduos trazidos da Terra! Como pesa a imperfeição acumulada em séculos sucessivos! Quantas vezes ouvira conselhos salutares de Clarêncio, observações fraternais de Lísias, para esquecer e renunciar as lamentações, mas, ao carinho maternal, como que se reabriam velhas feridas. Do pranto de alegria passei às lágrimas de angústia, relembrando exacerbadamente os trâmites terrestres. Não conseguia atinar que a visita não era para satisfação dos meus caprichos, e sim preciosa bênção de acréscimo da Misericórdia divina. Copiando antigas exigências, concluí erroneamente que minha genitora deveria continuar como repositório de minhas queixas e males sem-fim. Na Terra, quase sempre, as mães não passam de escravas, no conceito dos filhos.

Raros lhes entendem a dedicação antes de as perder. Na mesma falsa concepção de outros tempos, descambei para o terreno das confidências dolorosas.

15.4 Minha mãe ouviu-me calada, deixando transparecer inexprimível melancolia. Olhos úmidos, aconchegando-me de quando em quando mais estreitamente ao coração, falou carinhosa:

— Ó filho, não ignoro as instruções que o nosso generoso Clarêncio te ministrou. Não te queixes. Agradeçamos ao Pai a bênção desta reaproximação. Sintamo-nos agora numa escola diferente, onde aprendemos a ser filhos do Senhor. Na posição de mãe terrestre, nem sempre consegui orientar-te como convinha. Também eu trabalho, pois, reajustando o coração. Tuas lágrimas fazem-me voltar à paisagem dos sentimentos humanos. Alguma coisa tenta operar o retrocesso de minha alma. Quero dar razão aos teus lamentos, erigir-te um trono, qual se foras a melhor criatura do universo, mas essa atitude, presentemente, não se coaduna com as novas lições da vida. Esses gestos são perdoáveis nas esferas da carne; aqui, porém, filho meu, é indispensável atender, antes de tudo, ao Senhor. Não és o único homem desencarnado a reparar os próprios erros, nem sou a única mãe a sentir-se distante dos entes amados. Nossa dor, portanto, não nos edifica pelos prantos que vertemos, ou pelas feridas que sangram em nós, mas pela porta de luz que nos oferece ao espírito, a fim de sermos mais compreensivos e mais humanos. Lágrimas e úlceras constituem o processo de bendita extensão dos nossos mais puros sentimentos.

Depois de longa pausa, em que a consciência profunda me advertia solene, minha mãe prosseguiu:

— Se é possível aproveitar estes minutos rápidos em expansões de amor, por que desviá-los para a sombra das lamentações? Regozijemo-nos, filho, e trabalhemos incessantemente. Modifica a atitude mental. Conforta-me tua confiança em meu carinho, experimento sublime felicidade em tua ternura filial, mas não posso retroceder nas minhas experiências. Amemo-nos, agora, com o grande e sagrado amor divino!

    Aquelas palavras benditas me despertaram. Guardava a impressão de fluidos vigorosos que partiam do sentimento materno vitalizando-me o coração. Minha mãe me contemplava desvanecida, mostrando belo sorriso. Ergui-me, respeitoso, e beijei-a na fronte, sentindo-a mais amorosa e mais bela que nunca. **15.5**

16
Confidências

Consolou-me a palavra maternal, reorganizando-me as energias interiores. Minha mãe comentava o serviço como se fora uma bênção às dores e dificuldades, levando-as a crédito de alegrias e lições sublimes. Inesperado e inexprimível contentamento banhava-me o espírito. Aqueles conceitos alimentavam-me de estranho modo. Sentia-me outro, mais alegre, animado e feliz. 16.1

— Ó minha mãe — exclamei comovido —, deve ser maravilhosa a esfera da sua habitação! Que sublimes contemplações espirituais, que ventura!...

Ela esboçou um sorriso significativo e obtemperou:

— A esfera elevada, meu filho, requer, sempre, mais trabalho, maior abnegação. Não suponhas que tua mãe permaneça em visões beatíficas, a distância dos deveres justos. Devo fazer-te sentir, no entanto, que minhas palavras não representam qualquer nota de tristeza, na situação em que me encontro. É antes revelação de responsabilidade necessária. Desde que voltei da Terra, tenho trabalhado intensamente pela nossa renovação espiritual.

Muitas entidades, desencarnando, permanecem agarradas ao lar terrestre, a pretexto de muito amarem os que demoram no mundo carnal. Ensinaram-me aqui, todavia, que o verdadeiro amor, para transbordar em benefícios, precisa trabalhar sempre. Desde minha vinda, então, procuro esforçar-me por conquistar o direito de ajudar aqueles que tanto amamos.

16.2 — E meu pai? — perguntei. — Onde está? Por que não veio com a senhora?

Minha mãe estampou singular expressão no rosto e respondeu:

— Ah! teu pai! Teu pai!... Há doze anos que está numa zona de trevas compactas, no Umbral. Na Terra, sempre nos parecera fiel às tradições da família, arraigado ao cavalheirismo do alto comércio, a cujos quadros pertenceu até o fim da existência, e ao fervor do culto externo, em matéria religiosa, mas, no fundo, era fraco e mantinha ligações clandestinas fora do nosso lar. Duas delas estavam mentalmente ligadas a vasta rede de entidades maléficas, e, tão logo desencarnou o meu pobre Laerte, a passagem no Umbral lhe foi muito amarga, porque as desventuradas criaturas, a quem fizera muitas promessas, aguardavam-no ansiosas, prendendo-o de novo nas teias da ilusão. A princípio, ele quis reagir, esforçando-se por encontrar-me, mas não pôde compreender que após a morte do corpo físico a alma se encontra tal qual vive intrinsecamente. Laerte, portanto, não percebeu minha presença espiritual, nem a assistência desvelada de outros amigos nossos. Tendo gasto muitos anos a fingir, viciara a visão espiritual, restringira o padrão vibratório, e o resultado foi achar-se tão só na companhia das relações que cultivara irrefletidamente, pela mente e pelo coração. Os princípios da família e o amor ao nosso nome ocuparam algum tempo o seu espírito. De algum modo, lutou, repelindo as tentações, mas caiu afinal, novamente enredado na sombra, por falta de perseverança no bom e reto pensamento.

Eminentemente impressionado, perguntei: 16.3
— Não há, porém, meios de subtraí-lo a tais abjeções?
— Ah! meu filho — elucidou a palavra materna —, eu o visito frequentemente. Ele, porém, não me percebe. Seu potencial vibratório é ainda muito baixo. Tento atraí-lo ao bom caminho, pela inspiração, mas apenas consigo arrancar-lhe algumas lágrimas de arrependimento, de quando em quando, sem obter resoluções sérias. As infelizes, das quais se tornou prisioneiro, segregam-no às minhas sugestões. Venho trabalhando intensamente, anos a fio. Solicitei o amparo de amigos em cinco núcleos diversos, de atividade espiritual mais elevada, inclusive aqui em Nosso Lar. Certa vez, Clarêncio quase conseguiu atraí-lo ao Ministério da Regeneração, mas debalde. Não é possível acender luz em candeia sem óleo e sem pavio. Precisamos da adesão mental de Laerte, para conseguir levantá-lo e abrir-lhe a visão espiritual. No entanto, o pobrezinho permanece inativo em si mesmo, entre a indiferença e a revolta.

Depois de longa pausa, suspirou, continuando:
— Talvez não saibas ainda que tuas irmãs Clara e Priscila vivem hoje igualmente no Umbral, agarradas à crosta da Terra. Sou compelida a atender às necessidades de todos. Meu único auxílio direto repousava na cooperação afetuosa de tua irmã Luísa, aquela que partiu quando eras pequenino. Luísa esperou-me aqui muitos anos, foi meu braço forte nos trabalhos ásperos de amparo à família terrena. Ultimamente, contudo, depois de lutar corajosa, a meu lado, em benefício de teu pai, de ti e das irmãs, tão grande é a perturbação dos nossos familiares, ainda na Terra, que voltou a semana passada, a fim de reencarnar entre eles, num gesto heroico de sublime renúncia. Espero, pois, que te restabeleças breve, para que possamos desdobrar atividades no bem.

Assombravam-me as informações referentes a meu pai. Que espécie de lutas seriam as dele? Não parecia sincero praticante dos preceitos religiosos, não comungava todos os domingos? Enlevado com a dedicação maternal, perguntei:

16.4 — A senhora, entretanto, auxilia o papai, não obstante a ligação dele com essas mulheres infames?

— Não as classifiques assim — ponderou minha mãe —, dize, antes, meu filho, nossas irmãs doentes, ignorantes ou infelizes. São filhas de nosso Pai, igualmente. Não tenho feito intercessões apenas por Laerte, mas por elas também, e estou convencida de haver encontrado recursos para atraí-los todos ao meu coração.

Espantou-me a grande manifestação de renúncia. Pensei subitamente em minha família direta. Senti o velho apego à esposa e aos filhos queridos. Perante Clarêncio e Lísias, deliberava sempre recalcar sentimentos e calar indagações, mas o olhar materno encorajava-me. Alguma coisa me fazia sentir que minha mãe não se demoraria muito tempo a meu lado. Aproveitando o minuto que corria célere, interroguei:

— A senhora, que tem acompanhado o papai devotadamente, nada poderá informar relativamente a Zélia e às crianças? Aguardo, ansioso, o instante de voltar a casa, a fim de auxiliá-los. Oh! minhas imensas saudades devem ser igualmente compartilhadas por eles! Como deve sofrer minha desventurada esposa com esta separação!...

Minha mãe esboçou um sorriso triste e acrescentou:

— Tenho visitado meus netos periodicamente. Vão bem.

E, depois de meditar alguns instantes, acentuou:

— Não deves, porém, inquietar-te com o problema de auxílio à família. Prepara-te, em primeiro lugar, para que sejamos bem-sucedidos; há questões que precisamos entregar ao Senhor, em pensamento, antes de trabalhar na solução que elas requerem.

Quis insistir no assunto para colher pormenores, mas minha mãe não reincidiu nele, esquivando-se, generosa. A palestra estendeu-se ainda longa, envolvendo-me em sublime conforto. Mais tarde, ela despediu-se. Curioso por saber como vivia até ali, pedi permissão para acompanhá-la. Afagou-me então, carinhosa, e disse:

— Não venhas, meu filho. Esperam-me com urgência **16.5** no Ministério da Comunicação, onde serei munida de recursos fluídicos para a jornada de regresso, nos gabinetes transformativos. Além disso, preciso ainda avistar-me com o ministro Célio, para agradecer a oportunidade desta visita.

E, deixando-me na alma duradoura impressão de felicidade, beijou-me e partiu.

17
Em casa de Lísias

Não se passaram muitos dias, após a inesperada visita   **17.1**
de minha mãe, quando Lísias me veio buscar, a chamado do ministro Clarêncio. Segui-o surpreso.

Recebido amavelmente pelo magnânimo benfeitor, esperava-lhe as ordens com enorme prazer.

— Meu amigo — disse afável —, doravante está autorizado a fazer observações nos diversos setores de nossos serviços, com exceção dos Ministérios de natureza superior. Henrique de Luna deu por terminado seu tratamento, na semana última, e é justo, agora, aproveite o tempo observando e aprendendo.

Olhei para Lísias, como irmão que devia participar da minha felicidade indizível naquele instante. O enfermeiro correspondeu-me ao olhar com intenso júbilo. Não cabia em mim de contente. Era o início de vida nova. De alguma sorte, poderia trabalhar, ingressando em escolas diferentes. Clarêncio, que parecia perceber minha intraduzível ventura, acentuou:

17.2   — Tornando-se dispensável sua permanência no parque hospitalar, examinarei atentamente a possibilidade de sua localização em ambiente novo. Consultarei alguma de nossas instituições...

Lísias, porém, cortou-lhe a palavra, exclamando:

— Se possível, estimaria recebê-lo em nossa casa, enquanto perdurar o curso de observações; lá, minha mãe o trataria como filho.

Fitei o visitador num transporte de alegria. Clarêncio, por sua vez, também lhe endereçou um olhar de aprovação, murmurando:

— Muito bem, Lísias! Jesus alegra-se conosco, sempre que recebemos um amigo no coração.

Abracei o prestativo enfermeiro, sem poder traduzir meu agradecimento. A alegria às vezes nos emudece.

— Guarde este documento — disse-me o atencioso ministro do Auxílio, entregando-me pequena caderneta —, com ele, poderá ingressar nos Ministérios da Regeneração, do Auxílio, da Comunicação e do Esclarecimento, durante um ano. Decorrido esse tempo, veremos o que será possível fazer relativamente aos seus desejos. Instrua-se, meu caro. Não perca tempo. O interstício das experiências carnais deve ser bem aproveitado.

Lísias deu-me o braço e saí, enlevado de prazer.

Passados minutos, eis-nos à porta de graciosa construção, cercada de colorido jardim.

— É aqui — exclamou o delicado companheiro.

E, com expressão carinhosa, acrescentou:

— O nosso lar, dentro de Nosso Lar.

Ao tinido brando da campainha no interior, surgiu à porta simpática matrona.

— Mãe! Mãe!... — gritou o enfermeiro, apresentando-me alegremente. — Este é o irmão que prometi trazer-te.

— Seja bem-vindo, amigo! — exclamou a senhora, nobremente. — Esta casa é sua.

E abraçando-me:

— Soube que sua mamãe não vive aqui. Nesse caso, terá em mim uma irmã, com funções maternais. **17.3**

Não sabia como agradecer a generosa hospitalidade. Ia ensaiar algumas frases, para demonstrar minha comoção e reconhecimento, mas a nobre matrona, revelando singular bom humor, adiantou-se, adivinhando-me os pensamentos:

— Está proibido de falar em agradecimentos. Não o faça. Obrigar-me-ia a lembrar, de repente, muitas frases convencionais da Terra...

Rimo-nos todos e murmurei comovido:

— Que o Senhor traduza meu agradecimento a todos em renovadas bênçãos de alegria e paz.

Entramos. Ambiente simples e acolhedor. Móveis quase idênticos aos terrestres; objetos em geral, demonstrando pequeninas variantes. Quadros de sublime significação espiritual, um piano de notáveis proporções, descansando sobre ele grande harpa talhada em linhas nobres e delicadas. Identificando-me a curiosidade, Lísias falou prazenteiro:

— Como vê, depois do sepulcro não encontrou ainda os anjos harpistas, mas aí temos uma harpa esperando por nós mesmos.

— Ó Lísias — atalhou a palavra materna, carinhosa —, não faças ironia. Não te recordas que o Ministério da União Divina recebeu o pessoal da Elevação, no ano passado, quando passaram por aqui alguns embaixadores da Harmonia?

— Sim, mamãe, mas quero apenas dizer que os harpistas existem, e precisamos criar audição espiritual para ouvi-los, esforçando-nos, por nossa vez, no aprendizado das coisas divinas.

Em seguida aos conceitos obrigatórios de apresentação, com que relacionei minha procedência, vim a saber que a família de Lísias vivera em antiga cidade do estado do Rio de Janeiro; que sua mãe chamava-se Laura e que, em casa, tinha consigo duas irmãs, Iolanda e Judite.

17.4   Respirava-se, ali, doce e reconfortante intimidade. Não conseguia disfarçar meu contentamento e enorme alegria. Aquele primeiro contato com a organização doméstica na colônia enlevava-me. A hospitalidade, cheia de ternura, arrancava-me ao espírito notas de profunda emoção.

Em face do tiroteio de perguntas, Iolanda exibiu-me livros maravilhosos. Notando-me o interesse, a dona da casa advertiu:

— Temos em Nosso Lar, no que concerne à literatura, uma enorme vantagem; é que os escritores de má-fé, os que estimam o veneno psicológico, são conduzidos imediatamente para as zonas obscuras do Umbral. Por aqui não se equilibram, nem mesmo no Ministério da Regeneração, enquanto perseveram em semelhante estado da alma.

Não pude deixar de sorrir, continuando a observar os primores da arte fotográfica, nas páginas sob meus olhos.

Em seguida, chamou-me Lísias para ver algumas dependências da casa, demorando-me na sala de banho, cujas instalações interessantes me maravilharam. Tudo simples, mas confortável.

Não voltara a mim da admiração que me empolgava, quando a senhora Laura convidou à oração.

Sentamo-nos, silenciosos, em torno de grande mesa.

Ligado um grande aparelho, fez-se ouvir música suave. Era o louvor do momento crepuscular. Surgiu, ao fundo, o mesmo quadro prodigioso da Governadoria, que eu nunca cansava de contemplar todas as tardes, no parque hospitalar. Naquele momento, porém, sentia-me dominado de profunda e misteriosa alegria. E, vendo o coração azul desenhado ao longe, senti que minha alma se ajoelhava no templo interior, em sublimes transportes de júbilo e reconhecimento.

18
Amor, alimento das almas

Terminada a oração, chamou-nos à mesa a dona da casa, servindo caldo reconfortante e frutas perfumadas, que mais pareciam concentrados de fluidos deliciosos. Eminentemente surpreendido, ouvi a senhora Laura observar com graça: 18.1

— Afinal, nossas refeições aqui são muito mais agradáveis que na Terra. Há residências, em Nosso Lar, que as dispensam quase por completo, mas, nas zonas do Ministério do Auxílio, não podemos prescindir dos concentrados fluídicos, tendo em vista os serviços pesados que as circunstâncias impõem. Despendemos grande quantidade de energias. É necessário renovar provisões de força.

— Isso, porém — ponderou uma das jovens —, não quer dizer que somente nós, os funcionários do Auxílio e da Regeneração, vivamos a depender de alimentos. Todos os Ministérios, inclusive o da União Divina, não os dispensam, diferindo apenas a feição substancial. Na Comunicação e no Esclarecimento, há enorme dispêndio de frutos. Na Elevação, o consumo de sucos e concentrados não é reduzido, e, na União Divina, os fenômenos de alimentação atingem o inimaginável.

18.2 Meu olhar indagador ia de Lísias para a senhora Laura, ansioso de explicações imediatas. Sorriam todos da minha natural perplexidade, mas a mãe de Lísias veio ao encontro dos meus desejos, explicando:

— Nosso irmão talvez ainda ignore que o maior sustentáculo das criaturas é justamente o amor. De quando em quando, recebemos em Nosso Lar grandes comissões de instrutores, que ministram ensinamentos relativos à nutrição espiritual. Todo o sistema de alimentação, nas variadas esferas da vida, tem no amor a base profunda. O alimento físico, mesmo aqui, propriamente considerado, é simples problema de materialidade transitória, como no caso dos veículos terrestres, necessitados de colaboração da graxa e do óleo. A alma, em si, apenas se nutre de amor. Quanto mais nos elevarmos no plano evolutivo da Criação, mais extensamente conheceremos essa verdade. Não lhe parece que o Amor divino seja o cibo[7] do universo?

Tais elucidações confortavam-me sobremaneira. Percebendo-me a satisfação íntima, Lísias interveio, acentuando:

— Tudo se equilibra no amor infinito de Deus, e, quanto mais evoluído o ser criado, mais sutil o processo de alimentação. O verme, no subsolo do planeta, nutre-se essencialmente de terra. O grande animal colhe na planta os elementos de manutenção, a exemplo da criança sugando o seio materno. O homem colhe o fruto do vegetal, transforma-o segundo a exigência do paladar que lhe é próprio, e serve-se dele à mesa do lar. Nós outros, criaturas desencarnadas, necessitamos de substâncias suculentas, tendentes à condição fluídica, e o processo será cada vez mais delicado à medida que se intensifique a ascensão individual.

---

[7] N.E.: Sustento, alimentação.

— Não esqueçamos, todavia, a questão dos veículos — **18.3** acrescentou a senhora Laura —, porque, no fundo, o verme, o animal, o homem e nós dependemos absolutamente do amor. Todos nos movemos nele e sem ele não teríamos existência.

— É extraordinário! — aduzi comovido.

— Não se lembra do ensino evangélico do "amai-vos uns aos outros"? — prosseguiu a mãe de Lísias atenciosa. — Jesus não preceituou esses princípios objetivando tão somente os casos de caridade, nos quais todos aprenderemos, mais dia menos dia, que a prática do bem constitui simples dever. Aconselhava-nos, igualmente, a nos alimentarmos uns aos outros, no campo da fraternidade e da simpatia. O homem encarnado saberá, mais tarde, que a conversação amiga, o gesto afetuoso, a bondade recíproca, a confiança mútua, a luz da compreensão, o interesse fraternal — patrimônios que se derivam naturalmente do amor profundo — constituem sólidos alimentos para a vida em si. Reencarnados na Terra, experimentamos grandes limitações; voltando para cá, entretanto, reconhecemos que toda a estabilidade da alegria é problema de alimentação puramente espiritual. Formam-se lares, vilas, cidades e nações em obediência a imperativos tais.

Recordei instintivamente as teorias do sexo, largamente divulgadas no mundo, e adivinhando-me talvez os pensamentos, a senhora Laura sentenciou:

— E ninguém diga que o fenômeno é simplesmente sexual. O sexo é manifestação sagrada desse Amor universal e divino, mas é apenas uma expressão isolada do potencial infinito. Entre os casais mais espiritualizados, o carinho e a confiança, a dedicação e o entendimento mútuos permanecem muito acima da união física, reduzida, entre eles, a realização transitória. A permuta magnética é o fator que estabelece ritmo necessário à manifestação da harmonia. Para que se alimente a ventura, basta a presença, e, às vezes, apenas a compreensão.

18.4 Valendo-se da pausa, Judite acrescentou:

— Aprendemos em Nosso Lar que a vida terrestre se equilibra no amor, sem que a maior parte dos homens se aperceba disso. Almas gêmeas, almas irmãs, almas afins, constituem pares e grupos numerosos. Unindo-se umas às outras, amparando-se mutuamente, conseguem equilíbrio no plano de redenção. Quando, porém, faltam companheiros, a criatura menos forte costuma sucumbir em meio a jornada. É preciso muita identificação com a fé sobre-humana para viver o homem, ou a mulher, solitários no mundo.

— Como vê, meu amigo — objetou Lísias, contente —, ainda aqui é possível relembrar o Evangelho do Cristo: "Nem só de pão vive o homem".

Antes, porém, de se alinharem novas considerações, tiniu a campainha fortemente.

Levantou-se o enfermeiro para atender.

Dois rapazes de fino trato entraram na sala.

— Aqui tem — disse Lísias, dirigindo-se a mim gentilmente — nossos irmãos Polidoro e Estácio, companheiros de serviço no Ministério do Esclarecimento.

Saudações, abraços, alegria.

Decorridos momentos, a senhora Laura falou sorridente:

— Todos vocês trabalharam muito hoje. Utilizaram o dia com proveito. Não estraguem o programa afetivo por nossa causa. Não esqueçam a excursão ao Campo da Música.

Notando a preocupação de Lísias, advertiu a palavra materna:

— Vai, meu filho. Não faças Lascínia esperar tanto. Nosso irmão ficará em minha companhia, até que te possa acompanhar nesses entretenimentos.

— Não se incomode por mim — exclamei instintivamente.

A senhora Laura, porém, esboçou amável sorriso e respondeu:

— Não poderei compartilhar das alegrias do Campo ainda hoje. Temos em casa minha neta convalescente, que voltou da Terra há poucos dias.

Saíram todos, em meio do júbilo geral. A dona da casa, fechando a porta, voltou-se para mim e explicou sorridente:

— Vão em busca do alimento a que nos referíamos. Os laços afetivos, aqui, são mais belos e mais fortes. O amor, meu amigo, é o pão divino das almas, o pábulo[8] sublime dos corações.

---

[8] N.E.: Alimento.

19
A jovem desencarnada

— Sua neta não vem à mesa para as refeições? — perguntei 19.1
à dona da casa, ensaiando palestra mais íntima.

— Por enquanto, alimenta-se a sós — esclareceu dona Laura —, a tolinha continua nervosa, abatida. Aqui, não trazemos à mesa qualquer pessoa que se manifeste perturbada ou desgostosa. A neurastenia e a inquietação emitem fluidos pesados e venenosos, que se misturam automaticamente às substâncias alimentares. Minha neta demorou-se no Umbral quinze dias, em forte sonolência, assistida por nós. Deveria ingressar nos pavilhões hospitalares, mas, afinal, veio submeter-se aos meus cuidados diretos.

Manifestei desejo de visitar a recém-chegada do planeta. Seria muito interessante ouvi-la. Há quanto tempo estava sem notícias diretas da existência comum?

A senhora Laura não se fez rogada quando lhe dei a conhecer meu desejo.

19.2   Demandamos um quarto confortável e muito amplo. Uma jovem muito pálida repousava em cômoda poltrona. Surpreendeu-se vivamente ao ver-me.

— Este amigo, Eloísa — explicou a genitora de Lísias, indicando-me —, é um irmão nosso que voltou da esfera física há pouco tempo.

A moça fitou-me curiosa, embora os olhos perdidos nas fundas olheiras traduzissem grande esforço para concentrar atenção. Cumprimentou-me, esboçando vago sorriso, dando-me eu a conhecer, por minha vez.

— Deve estar cansada — observei.

Antes, porém, que ela respondesse, adiantou-se a senhora Laura, procurando subtraí-la a esforços difíceis:

— Eloísa tem estado inquieta, aflita. Em parte, justifica-se. A tuberculose foi longa e deixou-lhe traços profundos; entretanto, não se pode prescindir, a tempo algum, do otimismo e da coragem.

Vi a jovem arregalar os olhos muito negros, como a reter o pranto, mas em vão. O tórax começou a arfar-lhe violentamente e, colando o lenço ao rosto, não conseguia conter os soluços angustiosos.

— Tolinha! — disse a meiga senhora, abraçando-a. — É necessário reagir contra isso. Estas impressões são os resultados da educação religiosa deficiente, nada mais. Sabes que tua mãe não se demorará e que não podes contar com a fidelidade do noivo, que de modo algum está preparado a te oferecer uma sincera dedicação espiritual na Terra. Ele ainda está longe do espírito sublime do amor iluminado. Naturalmente, desposará outra e deves habituar-te a esta convicção. Nem seria justo exigir-lhe a vinda brusca.

Sorrindo maternalmente, a senhora Laura acrescentou:

— Admitamos que viesse, forçando a lei. Não seria mais duro o sofrimento? Não pagarias caro a cooperação que houvesses desenvolvido nesse particular? Não te faltarão amizades carinhosas, nem colaboração fraternal, para que te equilibres aqui. E, se amas, de fato, o rapaz, deves procurar harmonia para beneficiá-lo mais tarde. Além disso, tua mãe não tarda a chegar.

Penalizou-me o pranto copioso da jovem. Procurei estabelecer novo rumo à conversação, tentando subtraí-la à crise de lágrimas.

19.3

— Donde vem você, Eloísa? — interroguei.

A mãe de Lísias, agora calada, parecia igualmente desejosa de vê-la desembaraçar-se.

Após longos instantes em que enxugava os olhos lacrimosos, a moça respondeu:

— Do Rio de Janeiro.

— Mas não deve chorar assim — objetei. — Você é muito feliz. Desencarnou há poucos dias, está com os seus parentes e não conheceu tempestades na grande viagem...

Ela pareceu reanimar-se, falando mais calma:

— Não imagina, porém, quanto tenho sofrido. Oito meses de luta com a tuberculose, não obstante os tratamentos... a mágoa de haver transmitido a moléstia a minha carinhosa mãe... Além disso, o que padeceu por minha causa o pobre noivo é inenarrável...

— Ora, ora, não diga isso — observou a senhora Laura a sorrir. — Na Terra temos sempre a ilusão de que não há dor maior que a nossa. Pura cegueira: há milhões de criaturas afrontando situações verdadeiramente cruéis, comparadas às nossas experiências.

— Arnaldo, porém, vovó, ficou sem consolo, desesperado. Tudo isso dá que pensar — acentuou contrafeita.

— E acreditas sinceramente nessa impressão? — perguntou a matrona com inflexão de carinho. — Observei teu ex-noivo, diversas vezes, no curso da tua enfermidade. Era natural que ele se comovesse tanto, vendo-te o corpo reduzido a frangalhos, mas não está preparado para compreender um sentimento puro. Reconfortar-se-á muito depressa. Amor iluminado não é para qualquer criatura humana. Conserva, portanto, o teu otimismo. Poderás auxiliá-lo, sem dúvida, muitas vezes, mas no que concerne à união conjugal, quando puderes excursionar às esferas do planeta, em nossa companhia, já o encontrarás casado com outra.

19.4 Admirado por minha vez, notei a surpresa dolorosa de Eloísa. Não sabia a convalescente como portar-se ante a serenidade e o bom senso da avó.

— Será possível?

A genitora de Lísias esboçou um gesto extremamente carinhoso e falou:

— Não sejas teimosa, nem queiras desmentir-me.

Vendo que a enferma parecia tomar a atitude íntima de quem deseja provas, a senhora Laura insistiu, muito meiga:

— Não te recordas da Maria da Luz, a colega que te levava flores todos os domingos? Pois nota: quando o médico anunciou, em caráter confidencial, a impossibilidade de restabelecer-te o corpo físico, Arnaldo, embora muito magoado, começou a envolvê-la em vibrações mentais diferentes. Agora que aqui estás, não demorarão muito as resoluções novas.

— Ah! que horror, vovó!

— Horror, por quê? É preciso te habituares a considerar as necessidades alheias. Teu noivo é homem comum, não está alertado para as belezas sublimes do amor espiritual. Não podes operar milagres nele, por muito que o ames. A descoberta de si mesmo é apanágio de cada um. Arnaldo conhecerá mais tarde a beleza do teu idealismo, mas, por agora, é preciso entregá-lo às experiências de que necessita.

— Não me conformo! — clamou a jovem, chorando. — Justamente Maria da Luz, a amiga que sempre julguei fidelíssima...

A senhora Laura, todavia, sorriu e falou cautelosa: 19.5
— Não será, porém, mais agradável confiá-lo aos cuidados de uma criatura irmã? Maria da Luz será sempre tua amiga espiritual, ao passo que outra mulher talvez te dificultasse, mais tarde, o acesso ao coração dele.

Eu estava eminentemente surpreendido. Eloísa prorrompera em soluços. A bondosa senhora percebeu-me a intranquilidade e, no propósito talvez de orientar tanto a neta quanto a mim, esclareceu sensatamente:

— Sei a causa do teu pranto, filhinha: nasce da terra inculta do nosso milenário egoísmo, da nossa renitente vaidade humana. Entretanto, a vovó não te fala para ferir, mas para acordar.

Enquanto Eloísa chorava, a mãe de Lísias convidava novamente à sala de estar, considerando que a doente necessitava de repouso.

Ao sentarmo-nos, falou em tom confidencial:

— Minha neta chegou profundamente fatigada. Prendeu o coração, demasiadamente, nas teias do amor-próprio. A rigor, o lugar dela seria em qualquer dos nossos hospitais; entretanto, o assistente Couceiro julgou melhor situá-la junto ao nosso carinho. Isso, aliás, é muito do meu agrado, porque minha querida Teresa, sua mãe, está a chegar. Um pouco de paciência e atingiremos a solução justa. Questão de tempo e serenidade.

20
Noções de lar

Desejando colher valores educativos que fluíam natural-   **20.1**
mente da palestra da senhora Laura, perguntei curioso:
— Desempenhando tantos deveres, a senhora ainda tem atribuições fora de casa?
— Sim; vivemos numa cidade de transição; no entanto, as finalidades da colônia residem no trabalho e no aprendizado. As almas femininas, aqui, assumem numerosas obrigações, preparando-se para voltar ao planeta ou para ascender a esferas mais altas.
— Mas a organização doméstica, em Nosso Lar, é idêntica à da Terra?
A interlocutora esboçou uma fácies[9] muito significativa e acrescentou:
— O lar terrestre é que, de há muito, se esforça por copiar nosso instituto doméstico, mas os cônjuges por lá, com raras exceções, estão ainda a mondar o terreno dos sentimentos,

---
[9] N.E.: O mesmo que "face".

invadido pelas ervas amargosas da vaidade pessoal e povoado de monstros do ciúme e do egoísmo. Quando regressei do planeta, pela última vez, trazia, como é natural, profundas ilusões. Coincidiu, porém, que, na minha crise de orgulho ferido, fui levada a ouvir um grande instrutor, no Ministério do Esclarecimento. Desde esse dia, nova corrente de ideias me penetrou o espírito.

20.2 — Não poderia dizer-me algo das lições recebidas? — indaguei com interesse.

— O orientador, muito versado em Matemática — prosseguiu ela —, fez-nos sentir que o lar é como se fora um ângulo reto nas linhas do plano da evolução divina. A reta vertical é o sentimento feminino, envolvido nas inspirações criadoras da vida. A reta horizontal é o sentimento masculino, em marcha de realizações no campo do progresso comum. O lar é o sagrado vértice onde o homem e a mulher se encontram para o entendimento indispensável. É templo, onde as criaturas devem unir-se espiritual antes que corporalmente. Há na Terra, agora, grande número de estudiosos das questões sociais, que aventam várias medidas e clamam pela regeneração da vida doméstica. Alguns chegam a asseverar que a instituição da família humana está ameaçada. Importa considerar, entretanto, que, a rigor, o lar é conquista sublime que os homens vão realizando vagarosamente. Onde, nas esferas do globo, o verdadeiro instituto doméstico, baseado na harmonia justa, com os direitos e deveres legitimamente partilhados? Na maioria, os casais terrestres passam as horas sagradas do dia vivendo a indiferença ou o egoísmo feroz. Quando o marido permanece calmo, a mulher parece desesperada; quando a esposa se cala, humilde, o companheiro tiraniza. Nem a consorte se decide a animar o esposo, na linha horizontal de seus trabalhos temporais, nem o marido se resolve a segui-la no voo divino de ternura e sentimento, rumo aos planos superiores da Criação. Dissimulam em sociedade e, na vida íntima, um faz viagens mentais de longa distância, quando o outro comenta o serviço que lhe seja peculiar. Se a mulher fala nos filhinhos, o marido excursiona pelos negócios; se o companheiro examina qualquer dificuldade do trabalho que lhe diz respeito, a mente da esposa volta ao gabinete da modista. É claro que, em tais circunstâncias, o ângulo divino não está devidamente traçado. Duas linhas divergentes tentam, em vão, formar o vértice sublime, a fim de construírem um degrau na escada grandiosa da vida eterna.

Esses conceitos calavam-me fundo e, sumamente impressionado, observei: **20.3**

— Senhora Laura, essas definições suscitam um mundo de pensamentos novos. Ah! se conhecêssemos tudo isso lá na Terra!...

— Questão de experiência, meu amigo — replicou a nobre matrona. — O homem e a mulher aprenderão no sofrimento e na luta. Por enquanto, raros conhecem que o lar é instituição essencialmente divina e que se deve viver, dentro de suas portas, com todo o coração e com toda a alma. Enquanto as criaturas vulgares atravessam a florida região do noivado, procuram-se mobilizando os máximos recursos do espírito, e daí o dizer-se que todos os seres são belos quando estão verdadeiramente amando. O assunto mais trivial assume singular encanto nas palestras mais fúteis. O homem e a mulher comparecem aí, na integração de suas forças sublimes. Mas logo que recebem a bênção nupcial, a maioria atravessa os véus do desejo e cai nos braços dos velhos monstros que tiranizam corações. Não há concessões recíprocas. Não há tolerância e, por vezes, nem mesmo fraternidade. E apaga-se a beleza luminosa do amor, quando os cônjuges perdem a camaradagem e o gosto de conversar. Daí em diante, os mais educados respeitam-se; os mais rudes mal se suportam. Não se entendem. Perguntas e respostas são formuladas em vocábulos breves. Por mais que se unam os corpos, vivem as mentes separadas, operando em rumos opostos.

20.4   — Tudo isso é a pura verdade! — aduzi comovido.

— Que fazer, porém, meu amigo? — replicou a bondosa senhora. — Na fase atual evolutiva do planeta, existem na esfera carnal raríssimas uniões de almas gêmeas, reduzidos matrimônios de almas irmãs ou afins, e esmagadora porcentagem de ligações de resgate. O maior número de casais humanos é constituído de verdadeiros forçados, sob algemas.

Procurando retomar o fio das considerações sugeridas por minha pergunta inicial, continuou a genitora de Lísias:

— As almas femininas não podem permanecer inativas aqui. É preciso aprender a ser mãe, esposa, missionária, irmã. A tarefa da mulher, no lar, não pode circunscrever-se a umas tantas lágrimas de piedade ociosa e a muitos anos de servidão. É claro que o movimento coevo do feminismo desesperado constitui abominável ação contra as verdadeiras atribuições do espírito feminino. A mulher não pode ir ao duelo com os homens, por escritórios e gabinetes, onde se reserva atividade justa ao espírito masculino. Nossa colônia, porém, ensina que existem nobres serviços de extensão do lar, para as mulheres. A enfermagem, o ensino, a indústria do fio, a informação, os serviços de paciência, representam atividades assaz expressivas. O homem deve aprender a carrear para o ambiente doméstico a riqueza de suas experiências, e a mulher precisa conduzir a doçura do lar para os labores ásperos do homem. Dentro de casa, a inspiração; fora dela, a atividade. Uma não viverá sem a outra. Como sustentar-se o rio sem a fonte, e como espalhar-se a água da fonte sem o leito do rio?

Não pude deixar de sorrir, ouvindo a interrogação.

A mãe de Lísias, depois de longo intervalo, continuou:

— Quando o Ministério do Auxílio me confia crianças ao lar, minhas horas de serviço são contadas em dobro, o que lhe pode dar ideia da importância do serviço maternal no plano terreno. Entretanto, quando isso não acontece, tenho meus deveres diuturnos nos trabalhos de enfermagem, com a semana de 48 horas de tarefa. Todos trabalham em nossa casa. A não ser minha neta convalescente, não temos qualquer pessoa da família em zonas de repouso. Oito horas de atividade no interesse coletivo, diariamente, é programa fácil a todos. Sentir-me-ia envergonhada se não o executasse também.

Interrompeu-se a interlocutora por alguns momentos, **20.5** enquanto me perdi em vastas considerações...

21
Continuando a palestra

— A palestra, senhora Laura — exclamei com interesse —, 21.1
sugere numerosas interrogações, relevar-me-á a curiosidade, o
abuso...
— Não diga isso — retrucou bondosa —, pergunte sempre.
Não estou em condições de ensinar; todavia, é sempre fácil informar.
Rimo-nos da observação e indaguei em seguida:
— Como se encara o problema da propriedade na colônia?
Esta casa, por exemplo, pertence-lhe?
Ela sorriu e esclareceu:
— Tal como se dá na Terra, a propriedade aqui é relativa.
Nossas aquisições são feitas à base de horas de trabalho. O bônus-
-hora, no fundo, é o nosso dinheiro. Quaisquer utilidades são adquiridas com esses cupons, obtidos por nós mesmos, à custa de
esforço e dedicação. As construções em geral representam patrimônio comum, sob controle da Governadoria; cada família espiritual,
porém, pode conquistar um lar (nunca mais que um), apresentando trinta mil bônus-hora, o que se pode conseguir com algum

tempo de serviço. Nossa moradia foi conquistada pelo trabalho perseverante de meu esposo, que veio para a esfera espiritual muito antes de mim. Dezoito anos estivemos separados pelos laços físicos, mas sempre unidos pelos elos espirituais. Ricardo, porém, não descansou. Recolhido ao Nosso Lar, depois de certo período de extremas perturbações, compreendeu imediatamente a necessidade do esforço ativo, preparando-nos um ninho para o futuro. Quando cheguei, estreamos a habitação que ele organizara com esmero, acentuando-se nossa ventura. Desde então, meu esposo ministrou-me conhecimentos novos. Minhas lutas na viuvez haviam sido intensas. Muito moça ainda, com os filhos tenros, tive de enfrentar serviços rudes. À custa de testemunhos difíceis, proporcionei aos rebentos de nossa união os valores educativos de que eu podia dispor, habituando-os, porém, muito cedo, aos trabalhos árduos. Compreendi, depois, que a existência laboriosa me livrara das indecisões e angústias do Umbral, por colocar-me a coberto de muitas e perigosas tentações. O suor do corpo ou a preocupação justa, nos campos de atividade honesta, constituem valiosos recursos para a elevação e defesa da alma. Reencontrar Ricardo, tecer novo ninho de afetos, representava o céu para mim. Durante anos consecutivos, vivemos a vida de perene ventura, trabalhando por nossa evolução, unindo-nos cada vez mais, e cooperando para o progresso efetivo dos que nos são afins. Com o correr do tempo, Lísias, Iolanda e Judite reuniram-se a nós, aumentando nossa felicidade.

21.2   Após ligeiro intervalo, em que parecia meditar, minha interlocutora prosseguiu em tom grave:

— Mas a esfera do globo nos esperava. Se o presente estava cheio de alegria, o passado chamava a contas, para que o futuro se harmonizasse com a lei eterna. Não podíamos pagar à Terra com bônus-hora, e sim com o suor honrado, fruto de trabalhos. Dada a nossa boa vontade, aclarava-se-nos a visão relativamente ao pretérito doloroso. A lei do ritmo exigia, então, nossa volta.

Aquelas afirmativas causavam-me viva impressão. Era a 21.3 primeira vez que se feria tão fundo aos meus ouvidos, na colônia, o assunto referente a encarnações pregressas.

— Senhora Laura — exclamei, interrompendo-a —, permita, por obséquio, um aparte. Perdoe a curiosidade; no entanto, até agora, ainda não pude conhecer mais detidamente o que se relaciona com o meu passado espiritual. Não estou isento dos laços físicos? Não atravessei o rio da morte? A senhora recordou o passado, logo após sua vinda, ou esperou o concurso do tempo?

— Esperei-o — replicou sorridente —; antes de tudo, é indispensável nos despojarmos das impressões físicas. As escamas da inferioridade são muito fortes. É preciso grande equilíbrio para podermos recordar, edificando. Em geral, todos temos erros clamorosos, nos ciclos da vida eterna. Quem lembra o crime cometido costuma considerar-se o mais desventurado do universo; e quem recorda o crime de que foi vítima considera-se em conta de infeliz, do mesmo modo. Portanto, somente a alma muito segura de si recebe tais atributos como realização espontânea. As demais são devidamente controladas no domínio das reminiscências, e, se tentam burlar esse dispositivo da lei, não raro tendem ao desequilíbrio e à loucura.

— Mas a senhora recordou o passado de maneira natural? — perguntei.

— Explico-me — respondeu bondosamente —; quando se me aclarou a visão interior, as lembranças vagas me causavam perturbações de vulto. Coincidiu que meu marido partilhava o mesmo estado de alma. Resolvemos ambos consultar o assistente Longobardo. Esse amigo, depois de minucioso exame das nossas impressões, nos encaminhou aos magnetizadores do Ministério do Esclarecimento. Recebidos com carinho, tivemos acesso em primeiro lugar à Seção do Arquivo, onde todos nós temos anotações particulares. Aconselharam-nos os técnicos daquele Ministério a ler nossas próprias memórias, durante dois anos, sem prejuízo de nossa tarefa do Auxílio, abrangendo o período de três séculos. O chefe do Serviço de Recordações não nos permitiu a leitura de fases anteriores, declarando-nos incapazes de suportar as lembranças correspondentes a outras épocas.

21.4   — E bastou a leitura para que se sentisse na posse das reminiscências? — atalhei curioso.

— Não. A leitura apenas informa. Depois de longo período de meditação para esclarecimento próprio, e com surpresas indescritíveis, fomos submetidos a determinadas operações psíquicas, a fim de penetrar os domínios emocionais das recordações. Os Espíritos técnicos no assunto nos aplicaram passes no cérebro, despertando certas energias adormecidas... Ricardo e eu ficamos, então, senhores de trezentos anos de memória integral. Compreendemos, então, quão grande é ainda o nosso débito para com as organizações do planeta!...

— E onde está nosso irmão Ricardo? Como estimaria conhecê-lo!... — exclamei sob forte impressão.

A genitora de Lísias meneou significativamente a cabeça e murmurou:

— Em vista de nossas observações referentes ao passado, combinamos novo encontro nas esferas da crosta. Temos trabalho, muito trabalho, na Terra. Desse modo, Ricardo partiu há três anos. Quanto a mim, seguirei dentro de breves dias. Aguardo apenas a chegada de Teresa, para deixá-la junto aos nossos.

E, de olhar vago, como se a mente estivesse muito longe, ao lado da filha ainda retida na Terra, a senhora Laura acentuou:

— A mãe de Eloísa não tardará. A passagem dela pelo Umbral será somente de algumas horas, em vista dos seus profundos sacrifícios, desde a infância. Pelo muito que sofreu, não precisará dos tratamentos da Regeneração. Poderei, portanto, transmitir-lhe minhas obrigações no Auxílio e partir sossegada. O Senhor não nos esquecerá.

22
O bônus-hora

Notando que a senhora Laura entristecera subitamente ao 22.1 recordar o marido, modifiquei o rumo da palestra, interrogando:
— Que me diz do bônus-hora? Trata-se de algum metal amoedado?

Minha interlocutora perdeu o aspecto cismativo, a que se recolhera, e replicou atenciosa:
— Não é propriamente moeda, mas ficha de serviço individual, funcionando como valor aquisitivo.
— Aquisitivo? — perguntei abruptamente.
— Explico-me — respondeu a bondosa senhora —; em Nosso Lar a produção de vestuário e alimentação elementares pertence a todos em comum. Há serviços centrais de distribuição na Governadoria e departamentos do mesmo trabalho nos Ministérios. O celeiro fundamental é propriedade coletiva.

Ante meu gesto silencioso de espanto, acentuou:
— Todos cooperam no engrandecimento do patrimônio comum e dele vivem. Os que trabalham, porém, adquirem

direitos justos. Cada habitante de Nosso Lar recebe provisões de pão e roupa, no que se refere ao estritamente necessário, mas os que se esforçam na obtenção do bônus-hora conseguem certas prerrogativas na comunidade social. O Espírito que ainda não trabalha poderá ser abrigado aqui; no entanto, os que cooperam podem ter casa própria. O ocioso vestirá, sem dúvida, mas o operário dedicado vestirá o que melhor lhe pareça. Compreendeu? Os inativos podem permanecer nos campos de repouso, ou nos parques de tratamento, favorecidos pela intercessão de amigos; entretanto, as almas operosas conquistam o bônus-hora e podem gozar a companhia de irmãos queridos, nos lugares consagrados ao entretenimento, ou o contato de orientadores sábios, nas diversas escolas dos Ministérios em geral. Precisamos conhecer o preço de cada nota de melhoria e elevação. Cada um de nós, os que trabalhamos, deve dar, no mínimo, oito horas de serviço útil, nas 24 de que o dia se constitui. Os programas de trabalho, porém, são numerosos, e a Governadoria permite quatro horas de esforço extraordinário aos que desejem colaborar no trabalho comum, de boa vontade. Desse modo, há muita gente que consegue 72 bônus-hora por semana, sem falar dos serviços sacrificiais, cuja remuneração é duplicada e, às vezes, triplicada.

22.2 — Mas é esse o único título de remuneração? — perguntei.

— Sim, é o padrão de pagamento a todos os colaboradores da colônia, não só na administração, como também na obediência.

Lembrando as organizações terrestres, indaguei espantado:

— Todavia, como conciliar semelhante padrão com a natureza do serviço? O administrador ganhará oito bônus-hora na atividade normal do dia, e o operário do transporte receberá a mesma coisa? Não é o trabalho do primeiro mais elevado que o do segundo?

A senhora sorriu à pergunta e explicou:

— Tudo é relativo. Se, na orientação ou na subalternidade, o trabalho é de sacrifício pessoal, a expressão remunerativa é justamente multiplicada. Examinando, porém, mais detidamente a sua pergunta, precisamos, antes de mais nada, esquecer determinados prejuízos da Terra. A natureza do serviço é problema dos mais importantes; contudo, na própria esfera da crosta é que o assunto apresenta solução mais difícil. A maioria dos homens encarnados está simplesmente ensaiando o espírito de serviço e aprendendo a trabalhar nos diversos setores da vida humana. Por isso mesmo, é imprescindível fixar as remunerações terrestres com maior atenção. Todo o ganho externo do mundo é lucro transitório. Vemos trabalhadores obcecados pela questão de ganhar, transmitindo fortunas vultosas à inconsciência e à dissipação; outros amontoam expressões bancárias que lhes servem de martírio pessoal e de ruína à família. Por outro lado, é indispensável considerar que setenta por cento dos administradores terrenos não pesam os deveres morais que lhes competem, e que a mesma porcentagem pode ser adjudicada a quantos foram chamados à subordinação. Vivem, quase todos, a confessar ausência do impulso vocacional, embora recebam os proventos comuns aos cargos que ocupam. Governos e empresas pagam a médicos que se entregam à exploração de interesses outros e a operários que matam o tempo. Onde, aí, a natureza de serviço? Há técnicos de indústria econômica que nunca prezaram integralmente a obrigação que lhes assiste e valem-se de leis magnânimas, à maneira de moscas venenosas no pão sagrado, exigindo abonos, facilidades e aposentadorias. Creia, porém, que todos pagarão muito caro a displicência. Parece ainda distante o tempo em que os institutos sociais poderão determinar a qualidade de serviço dos homens, porque, para o plano espiritual superior, não se especificará teor de trabalho, sem a consideração dos valores morais despendidos.

22.3

22.4   Essas palavras despertavam-me para concepções novas. Percebendo-me a sede de instrução, a interlocutora continuou:

— O verdadeiro ganho da criatura é de natureza espiritual, e o bônus-hora, em nossa organização, modifica-se em valor substancial, segundo a natureza dos nossos serviços. No Ministério da Regeneração, temos o bônus-hora-regeneração; no Ministério do Esclarecimento, o bônus-hora-esclarecimento, e assim por diante. Ora, examinando o provento espiritual, é razoável que a documentação de trabalho revele a essência do serviço. As aquisições fundamentais constituem-se de experiência, educação, enriquecimento de bênçãos divinas, extensão de possibilidades. Nesse prisma, os fatores assiduidade e dedicação representam, aqui, quase tudo. Em geral, em nossa cidade de transição, a maioria prepara-se com vistas à necessidade de regresso aos círculos carnais. Examinando esse princípio, é natural que o homem que empregou cinco mil horas em serviços regeneradores tenha efetuado esforço sublime em benefício de si mesmo; o que despendeu seis mil horas de atividade no Ministério do Esclarecimento estará mais sábio. Poderemos gastar os bônus-hora conquistados; entretanto, é mais valioso ainda o registro individual da contagem de tempo de serviço útil, que nos confere direito a preciosos títulos.

Semelhantes instruções interessavam-me profundamente.

— Poderemos, porém, gastar nossos bônus-hora a favor dos amigos? — indaguei curioso.

— Perfeitamente — disse ela —; poderemos repartir as bênçãos de nosso esforço com quem nos aprouver. Isto é direito inalienável do trabalhador fiel. Contam-se por milhares as pessoas favorecidas em Nosso Lar pela movimentação da amizade e do estímulo fraternal.

A essa altura, a genitora de Lísias sorriu e observou:

— Quanto maior a contagem do nosso tempo de trabalho, 22.5 maiores intercessões podemos fazer. Compreendemos, aqui, que nada existe sem preço e que para receber é indispensável dar alguma coisa. Pedir, portanto, é ocorrência muito significativa na existência de cada um. Somente poderão rogar providências e dispensar obséquio os portadores de títulos adequados, entendeu?

— E o problema da herança? — inquiri de repente.

— Não temos aqui demasiadas complicações — respondeu a senhora Laura, sorrindo. — Vejamos, por exemplo, o meu caso. Aproxima-se o tempo do meu regresso aos planos da crosta. Tenho comigo três mil bônus-hora-auxílio, no meu quadro de economia pessoal. Não posso legá-los a minha filha que está a chegar, porque esses valores serão revertidos ao patrimônio comum, permanecendo minha família apenas com o direito de herança ao lar; no entanto, minha ficha de serviço autoriza-me a interceder por ela e preparar-lhe aqui trabalho e concurso amigo, assegurando-me, igualmente, o valioso auxílio das organizações de nossa colônia espiritual, durante minha permanência nos círculos carnais. Nesse cômputo, deixo de referir-me ao lucro maravilhoso que adquiri no capítulo da experiência, nos anos de cooperação no Ministério do Auxílio. Volto à Terra, investida de valores mais altos e demonstrando qualidades mais nobres de preparação ao êxito desejado.

Ia prorromper em exclamações admirativas, referentes ao processo simples de ganhar, aproveitar, cooperar e servir, confrontando aquelas soluções com os princípios imperantes no planeta, mas um brando burburinho aproximou-se da casa. Antes que pudesse emitir qualquer observação, a senhora Laura murmurou satisfeita:

— Nossos queridos estão de volta.

E levantou-se para atender.

23
Saber ouvir

Intimamente, lamentei a interrupção da palestra. Os esclarecimentos da senhora Laura fortaleciam-me o coração.   **23.1**
Lísias entrou em casa visivelmente satisfeito.
— Olá! Ainda não se recolheu? — perguntou sorridente.
E, enquanto os jovens se despediam, convidava-me solícito:
— Venha ao jardim, pois ainda não viu o luar destes sítios.
A dona da casa entrou em conversação com as filhas, enquanto, acompanhando Lísias, fui aos canteiros em flor.
O espetáculo apresentava-se soberbo! Habituado à reclusão hospitalar, entre grandes árvores, ainda não conhecia o quadro maravilhoso que a noite clara apresentava, ali, nos vastos quarteirões do Ministério do Auxílio. Glicínias de prodigiosa beleza enfeitavam a paisagem. Lírios de neve, matizados de ligeiro azul ao fundo do cálice, pareciam taças, de caricioso aroma. Respirei a longos haustos, sentindo que ondas de energia nova me penetravam o ser. Ao longe, as torres da Governadoria mostravam belos efeitos de luz. Deslumbrado, não conseguia emitir

impressões. Esforçando-me para exteriorizar a admiração que me invadia a alma, falei comovidamente:

23.2 — Nunca presenciei tamanha paz! Que noite!...

O companheiro sorriu e acentuou:

— Há compromisso entre todos os habitantes equilibrados da colônia, no sentido de não se emitirem pensamentos contrários ao bem. Dessarte, o esforço da maioria se transforma numa prece quase perene. Daí nascem as vibrações de paz que observamos.

Após enlevar-me na contemplação do quadro prodigioso, como se estivesse bebendo a luz e a calma da noite, voltamos ao interior, onde Lísias se aproximou de pequeno aparelho postado na sala, à maneira de nossos receptores radiofônicos. Aguçou-se-me a curiosidade. Que iríamos ouvir? Mensagens da Terra? Vindo ao encontro de minhas interrogações íntimas, o amigo esclareceu:

— Não ouviremos vozes do planeta. Nossas transmissões baseiam-se em forças vibratórias mais sutis que as da esfera da crosta.

— Mas não há recurso — indaguei — para recolher as emissões terrestres?

— Sem dúvida que temos elementos para fazê-lo, em todos os Ministérios; entretanto, no ambiente doméstico o problema de nossa atualidade é essencial. A programação do serviço necessário, as notas da Espiritualidade superior e os ensinamentos elevados vivem, agora, para nós outros, muito acima de qualquer cogitação terrestre.

A observação era justa, mas, habituado ao apego doméstico, inquiri de pronto:

— Será tanto assim? E os parentes que ficaram a distância? Nossos pais, nossos filhos?

— Já esperava essa pergunta. Nos círculos terrestres somos levados, muitas vezes, a viciar as situações. A hipertrofia do sentimento é mal comum de quase todos nós. Somos, por lá, velhos prisioneiros da condição exclusivista. Em família, isolamo-nos frequentemente no cadinho do sangue e esquecemos o resto das obrigações. Vivemos distraídos dos verdadeiros princípios de fraternidade. Ensinamo-los a todo mundo, mas, em geral, chegado o momento do testemunho, somos solidários apenas com os nossos. Aqui, porém, meu amigo, a medalha da vida apresenta a outra face. É preciso curar nossas velhas enfermidades e sanar injustiças. No início da colônia, todas as moradias, ao que sabemos, ligavam-se com os núcleos de evolução terrestre. Ninguém suportava a ausência de notícias da parentela comum. Do Ministério da Regeneração ao da Elevação, vivia-se em constante guerra nervosa. Boatos assustadores perturbavam as atividades em geral. Mas, precisamente há dois séculos, um dos generosos ministros da União Divina compeliu a Governadoria a melhorar a situação. O ex-governador era talvez demasiadamente tolerante. A bondade desviada provoca indisciplinas e quedas. E, de quando em quando, as notícias dos afeiçoados terrestres punham muitas famílias em polvorosa. Os desastres coletivos no mundo, quando interessassem algumas entidades em Nosso Lar, eram aqui verdadeiras calamidades públicas. Segundo nosso arquivo, a cidade era mais um departamento do Umbral que propriamente zona de refazimento e instrução. Amparado pela União Divina, o governador proibiu o intercâmbio generalizado. Houve luta. Mas o ministro generoso, que incrementou a medida, valeu-se do ensinamento de Jesus que manda os mortos enterrarem seus mortos, e a inovação se tornou vitoriosa em pouco tempo.

— Entretanto — objetei —, seria interessante colher notícias dos nossos amados em trânsito na Terra. Não daria isso mais tranquilidade à alma? 23.3

Lísias, que permanecia junto ao receptor, sem ligá-lo, como interessado em me fornecer explicações mais amplas, acrescentou:

23.4 — Observe a si mesmo, a fim de ver se valeria a pena. Está preparado, por exemplo, para manter a precisa serenidade, esperando com fé e agindo com os preceitos divinos, sabendo que um filho de seu coração está caluniado ou caluniando? Se alguém o informasse, agora, de que um dos seus irmãos consanguíneos foi hoje encarcerado como criminoso, teria bastante força para conservar-se tranquilo?

Sorri desapontado.

— Não devemos procurar notícias dos planos inferiores — prosseguiu, solícito — senão para levar auxílios justos. Convenhamos, porém, que criatura alguma auxiliará com justiça, experimentando desequilíbrios do sentimento e do raciocínio. Por isso, é indispensável a preparação conveniente, antes de novos contatos com os parentes terrenos. Se eles oferecessem campo adequado ao amor espiritual, o intercâmbio seria desejável, mas esmagadora porcentagem de encarnados não alcançou, ainda, nem mesmo o domínio próprio e vive às tontas, nos altos e baixos das flutuações de ordem material. Precisamos, apesar das dificuldades sentimentais, evitar a queda nos círculos vibratórios inferiores.

Contudo, evidenciando minha teimosia caprichosa, indaguei:

— Mas, Lísias, você que tem um amigo encarnado, qual seu pai, não gostaria de comunicar-se com ele?

— Sem dúvida — respondeu bondosamente —, quando merecemos essa alegria, visitamo-lo em sua nova forma, verificando-se o mesmo quando se trata de qualquer expressão de intercâmbio entre ele e nós. Não devemos esquecer, entretanto, que somos criaturas falíveis. Necessitamos, pois, recorrer aos órgãos competentes, que determinem a oportunidade ou o merecimento exigidos. Para esse fim, temos o Ministério da Comunicação. Acresce notar que, da esfera superior, é possível descer à inferior com mais facilidade. Existem, contudo, certas leis que mandam compreender devidamente os que se encontram nas zonas mais baixas. É tão importante saber falar como saber ouvir. Nosso Lar vivia em perturbações porque, não sabendo ouvir, não podia auxiliar com êxito e a colônia transformava-se, frequentemente, em campo de confusão.

23.5 Calei-me, vencido pelo argumento ponderoso. E, enquanto me conservava em silêncio, o enfermeiro amigo abria o controle de recepção sob meus olhos curiosos.

24
O impressionante apelo

Ligado o receptor, suave melodia derramou-se no ambiente, embalando-nos em harmoniosa sonoridade, vendo-se no espelho da televisão a figura do locutor, no gabinete de trabalho. Daí a instantes, começou ele a falar: 24.1

— Emissora do Posto Dois, de "Moradia". Continuamos a irradiar o apelo da colônia em benefício da paz na Terra. Concitamos os colaboradores de bom ânimo a congregar energias no serviço de preservação do equilíbrio moral nas esferas do globo. Ajudai-nos, quantos puderem ceder algumas horas de cooperação nas zonas de trabalho que ligam as forças obscuras do Umbral à mente humana. Negras falanges da ignorância, depois de espalharem os fachos incendiários da guerra na Ásia, cercam as nações europeias, impulsionando-as a novos crimes. Nosso núcleo, junto aos demais que se consagram ao trabalho de higiene espiritual, nos círculos mais próximos da crosta, denuncia esses movimentos dos poderes concentrados do mal, pedindo concurso fraterno e auxílio possível. Lembrai-vos de que a paz necessita de trabalhadores de defesa! Colaborai conosco na medida de vossas forças!... Há serviço para todos, desde os campos da crosta às nossas portas!... Que o Senhor nos abençoe.

24.2 Interrompeu-se a voz, ouvindo-se divina música novamente. A inflexão do estranho convite abalara-me as fibras mais íntimas. Veio Lísias em meu socorro, explicando:

— Estamos ouvindo "Moradia", velha colônia de serviços muito ligada às zonas inferiores. Como sabe, estamos em agosto de 1939. Seus últimos sofrimentos pessoais não lhe deram tempo para ponderar sobre a angustiosa situação do mundo, mas posso afiançar que as nações do planeta se encontram na iminência de tremendas batalhas.

— Que diz? — indaguei aterrado. — Pois não bastou o sangue da última grande guerra?

Lísias sorriu, fixando em mim os olhos brilhantes e profundos, como a lastimar em silêncio a gravidade da hora humana. Pela primeira vez o enfermeiro amigo não me respondeu. Seu mutismo constrangera-me. Assombrava-me, sobretudo, a imensidade dos serviços espirituais nos planos de vida nova a que me recolhera. Pois havia cidades de espíritos generosos, suplicando socorro e cooperação? Apresentara-se a voz do locutor com entonação de verdadeiro S.O.S. Vira-lhe a fisionomia abatida, no espelho da televisão. Demonstrava ansiedade profunda nos olhos inquietos. E a linguagem? Ouvira-lhe nitidamente o idioma português, claro e correto. Julgava que todas as colônias espirituais se intercomunicassem pelas vibrações do pensamento. Havia, ainda ali, tão grande dificuldade no capítulo do intercâmbio? Identificando-me as perplexidades, Lísias esclareceu:

— Estamos ainda muito longe das regiões ideais da mente pura. Tal como na Terra, os que se afinam perfeitamente entre si podem permutar pensamentos, sem as barreiras idiomáticas, mas, de modo geral, não podemos prescindir da forma, no lato sentido da expressão. Nosso campo de lutas é imensurável. A humanidade terrestre, constituída de milhões de seres, une-se à humanidade invisível do planeta, que integra muitos bilhões de criaturas. Não seria, portanto, possível atingir as zonas aperfeiçoadas, logo após a morte do corpo físico. Os patrimônios nacionais e linguísticos remanescem ainda aqui, condicionados a fronteiras psíquicas. Nos mais diversos setores de nossa atividade espiritual existe elevado número de espíritos libertos de todas as limitações, mas insta considerar que a regra pertence à natureza. Nada enganará o princípio de sequência, imperante nas leis evolutivas.

Nesse ínterim, interrompia-se a música, voltando o locutor: **24.3**

— Emissora do Posto Dois, de "Moradia". Continuamos a irradiar o apelo da colônia em benefício da paz na Terra. Nevoeiros pesados amontoam-se ao longo dos céus da Europa. Forças tenebrosas do Umbral penetram em todas as direções, respondendo ao apelo das tendências mesquinhas do homem. Há muitos benfeitores devotados lutando com sacrifícios em favor da concórdia internacional, nos gabinetes políticos. Alguns governos, no entanto, se encontram excessivamente centralizados, oferecendo escassas possibilidades à colaboração de natureza espiritual. Sem órgãos de ponderação e conselho desapaixonado, caminham esses países para uma guerra de grandes proporções. Ó irmãos muito amados, dos núcleos superiores, auxiliemos a preservação da tranquilidade humana!... Defendamos os séculos de experiência de numerosas pátrias-mães da Civilização Ocidental!... Que o Senhor nos abençoe.

Calou-se o locutor e voltaram as cariciosas melodias.

O enfermeiro permaneceu em silêncio, que não ousei interromper. Após cinco minutos de harmonia repousante, a mesma voz se fez novamente ouvir:

— Emissora do Posto Dois, de "Moradia". Continuamos a irradiar o apelo da colônia em benefício da paz na Terra.

Companheiros e irmãos, invoquemos o amparo das poderosas Fraternidades da Luz, que presidem aos destinos da América! Cooperai conosco na salvação de milenários patrimônios da evolução terrestre! Marchemos em socorro das coletividades indefesas, amparemos os corações maternais sufocados de angústia! Nossas energias estão empenhadas em vigoroso duelo com as legiões da ignorância. Quanto estiver ao vosso alcance, vinde em nosso auxílio! Somos a parte invisível da humanidade terrestre, e muitos de nós volveremos aos fluidos carnais para resgatar prístinos erros. A humanidade encarnada é igualmente nossa família. Unamo-nos numa só vibração. Contra o assédio das trevas, acendamos a luz; contra a guerra do mal, movimentemos a resistência do bem. Rios de sangue e lágrimas ameaçam os campos das comunidades europeias. Proclamemos a necessidade do trabalho construtivo, dilatemos nossa fé... Que o Senhor nos abençoe.

24.4   A essa altura, desligou Lísias o aparelho e vi-o enxugar discretamente uma lágrima, que seus olhos não conseguiam conter. Num gesto expressivo, falou comovido:

— Grandes abnegados, os irmãos de "Moradia"! Tudo inútil, porém — acentuou, triste, depois de ligeira pausa —; a humanidade terrestre pagará, em dias próximos, terríveis tributos de sofrimento.

— Não há, todavia, recurso para conjurar a tremenda catástrofe? — perguntei sensibilizado.

— Infelizmente — acrescentou Lísias em tom grave e doloroso — a situação geral é muito crítica. Para atender às solicitações de "Moradia" e de outros núcleos que funcionam nas vizinhanças do Umbral, reunimos aqui numerosas assembleias, mas o Ministério da União Divina esclareceu que a humanidade carnal, como personalidade coletiva, está nas condições do homem insaciável que devorou excesso de substâncias no banquete comum. A crise orgânica é inevitável. Nutriram-se várias nações de orgulho criminoso, vaidade e egoísmo feroz. Experimentam, agora, a necessidade de expelir os venenos letais.

Demonstrando, entretanto, o propósito de não prosseguir no amarguroso assunto, Lísias convidou-me a recolher. **24.5**

25
Generoso alvitre

No dia imediato, muito cedo, fiz leve refeição em companhia de Lísias e familiares.

Antes que os filhos se despedissem, rumo ao trabalho do Auxílio, a senhora Laura encorajou-me o espírito hesitante, dizendo bem-humorada:

— Já lhe arranjei companhia para hoje. Nosso amigo Rafael, funcionário da Regeneração, passará por aqui, a meu pedido. Poderá aceitar-lhe a companhia em direção ao novo Ministério. Rafael é antiga relação de nossa família e apresentá-lo-á, em meu nome, ao ministro Genésio.

Não poderia explicar o contentamento que me dominou a alma. Estava radiante. Agradeci comovido, sem encontrar palavras que definissem meu júbilo. Lísias, por sua vez, demonstrou grande alegria. Abraçou-me efusivamente antes de sair, sensibilizando-me o coração. Ao beijar o filho, a senhora Laura recomendou:

25.2 — Você, Lísias, avise ao ministro Clarêncio que comparecerei ao expediente, logo que entregue nosso amigo aos cuidados de Rafael.

Comovidíssimo, eu não conseguia agradecer tamanha dedicação.

Ficando a sós, a desvelada genitora do meu amigo dirigiu-me a palavra carinhosa:

— Meu irmão, permita-me algumas indicações para os seus novos caminhos. Creio que a colaboração maternal sempre vale alguma coisa e, já que sua mãezinha não reside em Nosso Lar, reivindico a satisfação de orientá-lo neste momento.

— Gratíssimo — respondi sensibilizado —; nunca saberei traduzir meu reconhecimento à sua atenção.

Sorriu a bondosa senhora, acrescentando:

— Estou informada de que pediu trabalho há algum tempo...

— Sim, sim... — esclareci, relembrando as elucidações de Clarêncio.

— Sei, igualmente, que não o obteve de pronto, recebendo, mais tarde, a necessária autorização para visitar os Ministérios que nos ligam mais fortemente à Terra.

Esboçando significativa expressão fisionômica, a boa senhora acrescentou:

— É justamente neste sentido que lhe ofereço minhas sugestões humildes. Falo com o direito de experiência maior. Detendo, agora, essa autorização, abandone, quanto lhe seja possível, os propósitos de mera curiosidade. Não deseje personificar a mariposa, de lâmpada em lâmpada. Sei que seu espírito de pesquisa intelectual é muito forte. Médico estudioso, apaixonado de novidades e enigmas, ser-lhe-á muito fácil deslizar na posição nova. Não esqueça que poderá obter valores mais preciosos e dignos que a simples análise das coisas. A curiosidade, mesmo sadia, pode ser zona mental muito interessante, mas perigosa, por vezes. Dentro dela, o espírito desassombrado e leal consegue movimentar-se em atividades nobilitantes, mas os indecisos e inexperientes podem conhecer dores amargas, sem proveito para ninguém. Clarêncio ofereceu-lhe ingresso nos Ministérios, começando pela Regeneração. Pois bem: não se limite a observar. Em vez de albergar a curiosidade, medite no trabalho e atire-se a ele na primeira ocasião que se ofereça. Surgindo ensejo nas tarefas da Regeneração, não se preocupe em alcançar o espetáculo dos serviços nos demais Ministérios. Aprenda a construir o seu círculo de simpatias e não olvide que o espírito de investigação deve manifestar-se após o espírito de serviço. Pesquisar atividades alheias, sem testemunhos no bem, pode ser criminoso atrevimento. Muitos fracassos nas edificações do mundo originam-se de semelhante anomalia. Todos querem observar, raros se dispõem a realizar. Somente o trabalho digno confere ao espírito o merecimento indispensável a quaisquer direitos novos. O Ministério da Regeneração está repleto de lutas pesadas, localizando-se ali a região mais baixa de nossa colônia espiritual. Saem de lá todas as turmas destinadas aos serviços mais árduos. Não se considere, porém, humilhado por atender às tarefas humildes. Lembro-lhe que em todas as nossas esferas, desde o planeta até os núcleos mais elevados das zonas superiores, referindo-nos à Terra, o maior Trabalhador é o próprio Cristo e que Ele não desdenhou o serrote pesado de uma carpintaria. O ministro Clarêncio autorizou-o, gentilmente, a conhecer, visitar e analisar, mas pode, como servidor de bom senso, converter observações em tarefa útil. É possível receber alguém negativa justa dos que administram, quando peça determinado gênero de atividade reservada, com justiça, aos que muito hão lutado e sofrido no capítulo da especialização, mas ninguém se recusará a aceitar o concurso do espírito de boa vontade, que ama o trabalho pelo prazer de servir.

25.3 Meus olhos estavam úmidos. Aquelas palavras, pronunciadas com meiguice maternal, caíam-me no coração como bálsamo precioso. Poucas vezes sentira na vida tanto interesse fraternal pela minha sorte. Semelhante conselho calava-me no fundo da alma e, como se desejasse temperar com amor os criteriosos conceitos, a senhora Laura acrescentou com inflexão carinhosa:

25.4 — A ciência de recomeçar é das mais nobres que nosso espírito pode aprender. São muito raros os que a compreendem nas esferas da crosta. Temos escassos exemplos humanos nesse sentido. Lembremos, contudo, o de Paulo de Tarso, doutor do Sinédrio, esperança de uma raça, pela cultura e pela mocidade, alvo de geral atenção em Jerusalém, que voltou, um dia, ao deserto para recomeçar a experiência humana, como tecelão rústico e pobre.

Não pude mais. Tomei-lhe as mãos como filho agradecido, e cobri-as do pranto jubiloso que me inundava o coração.

A genitora de Lísias, agora de olhos fixos no horizonte, murmurou:

— Muito grata, meu irmão. Creio que você não veio a esta casa atendendo ao mecanismo da casualidade. Estamos todos entrelaçados em teia de amizade secular. Brevemente voltarei ao círculo da carne; entretanto, continuaremos sempre unidos pelo coração. Espero vê-lo animado e feliz antes de minha partida. Faça desta casa a sua habitação. Trabalhe e anime-se, confiando em Deus.

Levantei os olhos rasos d'água, fixei-lhe a expressão carinhosa, experimentei a felicidade que nasce dos afetos puros e tive impressão de conhecer minha interlocutora, de velhos tempos, embora tentasse, debalde, identificar-lhe o carinho nas reminiscências mais distantes. Quis beijá-la muitas vezes, com o enternecimento filial do coração, mas, nesse instante, alguém bateu à porta.

Fitou-me a senhora Laura, mostrando indefinível ternura maternal, e falou:

— É Rafael que vem buscá-lo. Vá, meu amigo, pensando em Jesus. Trabalhe para o bem dos outros, para que possa encontrar seu próprio bem.

26
Novas perspectivas

Ponderando as sugestões carinhosas e sábias da mãe de 26.1
Lísias, acompanhei Rafael, convicto de que iria não às visitas
de observações, mas ao aprendizado e serviço útil.

Anotava, surpreso, os magníficos aspectos da nova região, rumo ao local onde me aguardava o ministro Genésio; contudo, seguia Rafael, em silêncio, estranho agora ao prazer das muitas indagações. Em compensação, experimentava novo gênero de atividade mental. Dava-me todo à oração, pedindo a Jesus me auxiliasse nos caminhos novos, a fim de que me não faltasse trabalho e forças para realizá-lo. Antigamente, avesso às manifestações da prece, agora a utilizava como valioso ponto de referência sentimental aos propósitos de serviço.

O próprio Rafael, de quando em vez, lançava-me curioso olhar, como se não devesse esperar tal atitude de minha parte.

Deixou-nos o aerôbus à frente de espaçoso edifício.

Descemos, calados.

26.2 Em poucos minutos, achava-me diante do respeitável Genésio, um velhinho simpático, cujo semblante revelava, entretanto, singular energia.

Rafael apresentou-me fraternalmente.

— Ah! sim — disse o generoso ministro —, é o nosso irmão André?

— Para servi-lo — respondi.

— Tenho notificação de Laura, referente à sua vinda. Fique à vontade.

Nesse ínterim, o companheiro aproximou-se respeitosamente e despediu-se, abraçando-me em seguida. Rafael era esperado com urgência no setor de tarefas a seu cargo.

Fixando em mim os olhos muito lúcidos, Genésio começou a dizer:

— Clarêncio falou-me a seu respeito com interesse. Quase sempre recebemos pessoal do Ministério do Auxílio, em visita de observações que, na sua maior parte, redundam em estágios de serviço.

Compreendi a sutil alusão e obtemperei:

— Este o meu maior desejo. Tenho mesmo suplicado às Forças divinas que me ajudem o espírito frágil, permitindo seja convertida a minha permanência, neste Ministério, em estação de aprendizado.

Genésio parecia comovido com as minhas palavras, e, valendo-me das inspirações que me inclinavam à humildade, roguei, de olhos úmidos:

— Senhor ministro, compreendo agora que minha passagem pelo Ministério do Auxílio se verificou por efeito da graça misericordiosa do Altíssimo, talvez devido a constante intercessão de minha devotada e santa mãe. Noto, porém, que somente venho recebendo benefícios, sem nada produzir de útil. Certo, meu lugar é aqui, nas atividades regeneradoras. Se possível, faça, por obséquio, seja transformada a concessão de visitar em possibilidade de servir.

Compreendo hoje, mais que nunca, a necessidade de regenerar meus próprios valores. Perdi muito tempo na vaidade inútil, fiz enormes gastos de energia na ridícula adoração de mim mesmo!...

Satisfeito, notava ele, no fundo de meu coração, a sinceridade viva. Quando eu recorrera ao ministro Clarêncio, não estava ainda bastante consciente do que pedia. Queria serviço, mas talvez não desejasse servir. Não entendia o valor do tempo, nem enxergava as bênçãos santificantes da oportunidade. No fundo, era o desejo de continuar a ser o que tinha sido até então — o médico orgulhoso e respeitado, cego nas pretensões descabidas do egotismo em que vivia, encarcerado nas opiniões próprias. No entanto, agora, diante do que vira e ouvira, compreendendo a responsabilidade de cada filho de Deus na obra infinita da Criação, punha nos lábios quanto possuía de melhor. Era sincero, enfim. Não me preocupava o gênero de tarefa, procurava o conteúdo sublime do espírito de serviço. 26.3

O velhinho fitou-me surpreendido e perguntou:

— É mesmo você o ex-médico?

— Sim... — murmurei acanhado.

Silencioso, como quem encontrava resoluções imprevistas, Genésio acrescentou:

— Louvo seus propósitos e peço igualmente ao Senhor o conserve nessa posição digna.

E, como que preocupado em levantar-me o ânimo e acender-me no espírito novas esperanças, acentuou:

— Quando o discípulo está preparado, o Pai envia o instrutor. O mesmo se dá relativamente ao trabalho. Quando o servidor está pronto, o serviço aparece. O meu amigo tem recebido enormes recursos da Providência. Está bem disposto à colaboração, compreende a responsabilidade, aceita o dever. Tal atitude é sumamente favorável à concretização dos seus desejos. Nos círculos carnais, costumamos felicitar um homem quando ele atinge prosperidade financeira ou excelente figuração externa; entretanto, aqui a situação é diferente. Estima-se a compreensão, o esforço próprio, a humildade sincera.

26.4   Identificando-me a ansiedade, concluiu:

— É possível obter ocupações justas. Por enquanto, porém, é preferível que visite, observe, examine.

E logo, ligando-se ao gabinete próximo, falou em voz alta:

— Solicito a presença de Tobias, antes que se dirija às Câmaras de Retificação.

Não se passaram muitos minutos e assomou à porta um senhor de maneiras desembaraçadas.

— Tobias — explicou Genésio, atencioso —, aqui tem um amigo que vem do Ministério do Auxílio, em tarefa de observação. Creio de muito proveito para ele o contato com as atividades das câmaras retificadoras.

Estendi-lhe a mão, enquanto o desconhecido correspondeu, afirmando gentil:

— Às suas ordens.

— Conduza-o — prosseguiu o ministro, evidenciando grande bondade. — André precisa integrar-se no conhecimento mais íntimo de nossas tarefas. Faculte-lhe toda oportunidade de que possamos dispor.

Prontificou-se Tobias, revelando a maior boa vontade.

— Estou de caminho — acrescentou ele, bem-humorado —, se deseja acompanhar-me...

— Perfeitamente — respondi satisfeito.

O ministro Genésio abraçou-me comovido, com palavras de animação.

Segui Tobias resolutamente.

Atravessamos largos quarteirões, onde numerosos edifícios me pareceram colmeias de serviço intenso. Percebendo-me a silenciosa indagação, o novo amigo esclareceu:

— Temos aqui as grandes fábricas de Nosso Lar. A preparação de sucos, de tecidos e artefatos em geral dá trabalho a mais de cem mil criaturas, que se regeneram e se iluminam ao mesmo tempo.

26.5

Daí a momentos, penetramos num edifício de aspecto nobre. Servidores numerosos iam e vinham. Depois de extensos corredores, deparou-se-nos vastíssima escadaria, que comunicava os pavimentos inferiores.

— Desçamos — disse Tobias em tom grave.

E, notando minha estranheza, explicou solícito:

— As Câmaras de Retificação estão localizadas nas vizinhanças do Umbral. Os necessitados que aí se reúnem não toleram as luzes, nem a atmosfera de cima, nos primeiros tempos de moradia em Nosso Lar.

27
O trabalho, enfim

Nunca poderia imaginar o quadro que se desenhava agora 27.1
aos meus olhos. Não era bem o hospital de sangue, nem o instituto de tratamento normal da saúde orgânica. Era uma série de câmaras vastas, ligadas entre si e repletas de verdadeiros despojos humanos.

Singular vozerio pairava no ar. Gemidos, soluços, frases dolorosas pronunciadas a esmo... Rostos escaveirados, mãos esqueléticas, fácies monstruosas deixavam transparecer terrível miséria espiritual.

Tão angustiosas foram minhas primeiras impressões que procurei os recursos da prece para não fraquejar.

Tobias, imperturbável, chamou velha servidora, que acudiu atenciosamente:

— Vejo poucos auxiliares — disse admirado —; que aconteceu?

27.2   — O ministro Flacus — esclareceu a velhinha em tom respeitoso — determinou que a maioria acompanhasse os Samaritanos[10] para os serviços de hoje, nas regiões do Umbral.

— Há que multiplicar energias — tornou ele, sereno —, não temos tempo a perder.

— Irmão Tobias!... Irmão Tobias!... por caridade! — gritou um ancião, gesticulando, agarrado ao leito, à maneira de louco. — Estou a sufocar! Isto é mil vezes pior que a morte na Terra... Socorro! Socorro! Quero sair, sair!... Quero ar, muito ar!

Tobias aproximou-se, examinou-o com atenção e perguntou:

— Por que teria o Ribeiro piorado tanto?

— Experimentou uma crise de grandes proporções — explicou a serva — e o assistente Gonçalves esclareceu que a carga de pensamentos sombrios emitidos pelos parentes encarnados era a causa fundamental desse agravo de perturbação. Visto achar-se ainda muito fraco e sem ter acumulado força mental suficiente para desprender-se dos laços mais fortes do mundo, o pobre não tem resistido, como seria de desejar.

Enquanto o generoso Tobias acariciava a fronte do enfermo, a serviçal prosseguia esclarecendo:

— Hoje, muito cedo, ele se ausentou sem consentimento nosso, a correr desabaladamente. Gritava que lhe exigiam a presença no lar, que não podia esquecer a esposa e os filhos chorosos; que era crueldade retê-lo aqui, distante do lar. Lourenço e Hermes esforçaram-se por fazê-lo voltar ao leito, mas foi impossível. Deliberei, então, aplicar alguns passes de prostração. Subtraí-lhe as forças e a motilidade, em benefício dele mesmo.

— Fez muito bem — acentuou Tobias, pensativo. — Vou pedir providências contra a atitude da família. É preciso que ela

---

[10] Nota do autor espiritual: Organização de Espíritos benfeitores em Nosso Lar.

receba maior bagagem de preocupações para que nos deixe o Ribeiro em paz.

Fixei o doente, procurando identificar-lhe a expressão íntima, verificando a legítima expressão de um dementado. Ele chamara Tobias como a criança que conhece o benfeitor, mas acusava profundo alheamento de quanto se dizia a seu respeito. 27.3

Notando-me a admiração, o novo orientador explicou:

— O pobrezinho permanece na fase de pesadelo, em que a alma pouco mais vê e ouve que as aflições próprias. O homem, meu caro, encontra na vida real o que amontoou para si mesmo. Nosso Ribeiro deixou-se empolgar por numerosas ilusões.

Eu quis indagar da origem dos seus padecimentos, conhecer-lhes a procedência e o histórico da situação; entretanto, recordei as criteriosas ponderações da mãe de Lísias relativas à curiosidade e calei. Tobias dirigiu ao enfermo generosas palavras de otimismo e esperança. Prometeu que iria providenciar recurso a melhoras, que mantivesse calma em benefício próprio e que não se aborrecesse por estar preso à cama. Ribeiro, muito trêmulo, rosto ceráceo, esboçou um sorriso muito triste e agradeceu com lágrimas.

Seguimos pelas numerosas filas de camas bem cuidadas, sentindo a desagradável exalação ambiente, oriunda, como vim a saber mais tarde, das emanações mentais dos que ali se congregavam, com as dolorosas impressões da morte física e, muita vez, sob o império de baixos pensamentos.

— Reservam-se estas câmaras — explicou o companheiro bondosamente — apenas a entidades de natureza masculina.

— Tobias! Tobias... Estou morrendo à fome e sede! — bradava um estagiário.

— Socorro, irmão! — gritava outro.

— Por amor de Deus! Não suporto mais!... — exclamava ainda outro.

27.4   Coração alanceado ante o sofrimento de tantas criaturas, não contive a interrogação penosa:

— Meu amigo, como é triste a reunião de tantos sofredores e torturados! Por que este quadro angustioso?

Tobias respondeu sem se perturbar:

— Não devemos observar aqui somente dor e desolação. Lembre, meu irmão, que estes doentes estão atendidos, que já se retiraram do Umbral, onde tantas armadilhas aguardam os improvidentes, descuidosos de si mesmos. Nestes pavilhões, pelo menos, já se preparam para o serviço regenerador. Quanto às lágrimas que vertem, recordemos que devem a si mesmos esses padecimentos. A vida do homem estará centralizada onde centralize ele o próprio coração.

E depois de uma pausa, em que parecia surdo a tantos clamores, acentuou:

— São contrabandistas na vida eterna.

— Como assim? — atalhei interessado.

O interlocutor sorriu e respondeu em voz firme:

— Acreditavam que as mercadorias propriamente terrestres teriam o mesmo valor nos planos do Espírito. Supunham que o prazer criminoso, o poder do dinheiro, a revolta contra a lei e a imposição dos caprichos atravessariam as fronteiras do túmulo e vigorariam aqui também, oferecendo-lhes ensejos a disparates novos. Foram negociantes improvidentes. Esqueceram de cambiar as posses materiais em créditos espirituais. Não aprenderam as mais simples operações de câmbio no mundo. Quando iam a Londres, trocavam contos de réis por libras esterlinas; entretanto, nem com a certeza matemática da morte carnal se animaram a adquirir os valores da espiritualidade. Agora... que fazer? Temos os milionários das sensações físicas transformados em mendigos da alma.

Realíssimo! Tobias não podia ser mais lógico.

Meu novo instrutor, após distribuir conforto e esclarecimento a granel, conduziu-me a vasta câmara anexa, em forma de grande enfermaria, notificando: **27.5**

— Vejamos alguns dos infelizes semimortos.

Narcisa, a servidora, acompanhava-nos solícita. Abriu-se a porta e quase cambaleei ante a surpresa angustiosa. Trinta e dois homens de semblante patibular permaneciam inertes em leitos muito baixos, evidenciando apenas leves movimentos de respiração.

Fazendo gesto significativo com o indicador, Tobias esclareceu:

— Estes sofredores padecem um sono mais pesado que outros de nossos irmãos ignorantes. Chamamos-lhes crentes negativos. Em vez de aceitarem o Senhor, eram vassalos intransigentes do egoísmo; em vez de crerem na vida, no movimento, no trabalho, admitiam somente o nada, a imobilidade e a vitória do crime. Converteram a experiência humana em constante preparação para um grande sono e, como não tinham qualquer ideia do bem, a serviço da coletividade, não há outro recurso senão dormirem longos anos, em pesadelos sinistros.

Não conseguia externar meu espanto.

Muito cuidadoso, Tobias começou a aplicar passes de fortalecimento, sob meus olhos atônitos. Finda a operação nos dois primeiros, começaram ambos a expelir negra substância pela boca, espécie de vômito escuro e viscoso, com terríveis emanações cadavéricas.

— São fluidos venenosos que segregam — explicou Tobias, muito calmo.

Narcisa fazia o possível por atender prontamente à tarefa de limpeza, mas debalde. Grande número deles deixava escapar a mesma substância negra e fétida. Foi então, que, instintivamente, me agarrei aos petrechos de higiene e lancei-me ao trabalho com ardor.

27.6   A servidora parecia contente com o auxílio humilde do novo irmão, ao passo que Tobias me dispensava olhares satisfeitos e agradecidos.

O serviço continuou por todo o dia, custando-me abençoado suor, e nenhum amigo do mundo poderia avaliar a alegria sublime do médico que recomeçava a educação de si mesmo, na enfermagem rudimentar.

28
Em serviço

Encerrada a prece coletiva, ao crepúsculo, Tobias ligou o receptor, a fim de ouvir os Samaritanos em atividade no Umbral. 28.1

Justamente curioso, vim a saber que as turmas de operações dessa natureza se comunicavam com as retaguardas de tarefa, em horas convencionais.

Sentia-me algo cansado pelos intensos esforços despendidos, mas o coração entoava hinos de alegria interior. Recebera a ventura do trabalho, afinal. E o espírito de serviço fornece tônicos de misterioso vigor.

Estabelecido o contato elétrico, o pequenino aparelho, sob meus olhos, começou a transmitir o recado, depois de alguns minutos de espera:

— Samaritanos ao Ministério da Regeneração!... Samaritanos ao Ministério da Regeneração!... Muito trabalho nos abismos da sombra. Foi possível deslocar grande multidão de infelizes, sequestrando às trevas espirituais 29 irmãos. Vinte e dois em desequilíbrio mental e sete em completa inanição psíquica. Nossas turmas estão organizando o transporte... Chegaremos alguns minutos depois da meia-noite... Pedimos providenciar...

28.2   Notando que Narcisa e Tobias se entreolhavam fundamente admirados, tão logo silenciou a estranha voz, não pude conter a pergunta que me desbordava dos lábios:

— Como assim? Por que esse transporte em massa? Não são todos Espíritos?

Tobias sorriu e explicou:

— O irmão esquece que não chegou ao Ministério do Auxílio de outro modo. Conheço o episódio de sua vinda. É preciso recordar, sempre, que a natureza não dá saltos e que, na Terra, ou nos círculos do Umbral, estamos revestidos de fluidos pesadíssimos. São aves e têm asas, tanto o avestruz como a andorinha; entretanto, o primeiro apenas sobe às alturas se transportado, enquanto a segunda corta, célere, as vastas regiões do céu.

E, deixando perceber que o momento não comportava divagações, dirigiu-se a Narcisa, ponderando:

— É muito grande a leva desta noite. Precisamos tomar providências imediatas.

— Serão necessários muitos leitos! — murmurou a serva algo pesarosa.

— Não se aflija — respondeu Tobias resoluto —, alojaremos os perturbados no Pavilhão 7 e os enfraquecidos na Câmara 33.

Em seguida, levou a destra à frente, como a ponderar algo muito sério, e exclamou:

— Resolveremos facilmente a questão da hospitalidade; o mesmo, porém, não se dará no concernente à assistência. Nossos auxiliares mais fortes foram requisitados para garantir os serviços da Comunicação nas esferas da crosta, em vista das nuvens de treva que ora envolvem o mundo dos encarnados. Precisamos de pessoal de serviço noturno, porquanto os operários em função com os Samaritanos chegarão extremamente fatigados.

— Ofereço-me, com prazer, para o que possa aproveitar — 28.3
exclamei espontaneamente.

Tobias endereçou-me um olhar de profunda simpatia, mesclada de gratidão, fazendo-me experimentar cariciosa alegria íntima.

— Mas está resolvido a permanecer nas Câmaras, durante a noite? — perguntou admirado.

— Outros não fazem o mesmo? — indaguei por minha vez. — Sinto-me disposto e forte, preciso recuperar o tempo perdido.

Abraçou-me o generoso amigo, acrescentando:

— Pois bem, aceito confiante a colaboração. Narcisa e os demais companheiros ficarão também de guarda. Além do mais, mandarei Venâncio e Salústio, dois irmãos de minha confiança. Não posso permanecer aqui, de plantão noturno, em vista de compromissos anteriores; no entanto, caso necessário, você ou algum dos nossos me comunicará qualquer ocorrência de maior gravidade. Traçarei o plano dos trabalhos, facilitando quanto possível a execução.

E descortinou-se campo enorme de providências. Enquanto cinco servidores operavam em companhia de Narcisa, preparando roupa adequada e petrechos de enfermagem, eu e Tobias movíamos pesado material no Pavilhão 7 e na Câmara 33.

Não poderia explicar o que se passava comigo. Apesar da fadiga dos braços, experimentava júbilo inexcedível no coração.

Na oficina, onde a maioria procura o trabalho, entendendo-lhe o sublime valor, servir constitui alegria suprema. Não pensava, francamente, na compensação dos bônus-hora, nas recompensas imediatas que me pudessem advir do esforço; contudo, minha satisfação era profunda, reconhecendo que poderia comparecer feliz e honrado perante minha mãe e os benfeitores que havia encontrado no Ministério do Auxílio.

Ao despedir-se, Tobias voltou a abraçar-me e falou:

28.4 — Desejo a vocês muita paz de Jesus, boa noite e serviço útil. Amanhã, às oito horas, você poderá descansar. O máximo de trabalho, cada dia, é de 12 horas, mas estamos em circunstâncias especiais.

Respondi que as determinações me enchiam de sincero contentamento.

A sós com o grande número de enfermeiros, passei a interessar-me pelos doentes, com mais carinho. Dentre as figuras de auxiliares presentes, impressionou-me a bondade espontânea de Narcisa, que atendia a todos maternalmente. Atraído pela sua generosidade, busquei aproximar-me com interesse. Não foi difícil alcançar o prazer de sua conversação carinhosa e simples. A velhinha amável semelhava-se a um livro sublime de bondade e sabedoria.

— Mas a irmã aqui trabalha há muito? — perguntei, a certa altura da palestra amistosa.

— Sim, permaneço nas Câmaras de Retificação, em serviço ativo, há seis anos e alguns meses; entretanto, ainda me faltam mais de três anos para realizar meus desejos.

Ante a silenciosa indagação do meu olhar, falou Narcisa amavelmente:

— Preciso um endosso muito sério.

— Que quer dizer com isso? — perguntei interessado.

— Preciso encontrar alguns Espíritos amados, na Terra, para serviços de elevação em conjunto. Por muito tempo, em razão de meus desvios passados, roguei, em vão, a possibilidade necessária aos meus fins. Vivia perturbada, aflita. Aconselharam-me, porém, recorrer à ministra Veneranda, e nossa benfeitora da Regeneração prometeu que endossaria meus propósitos no Ministério do Auxílio, mas exigiu dez anos consecutivos de trabalho aqui, para que eu possa corrigir certos desequilíbrios do sentimento. No primeiro instante, quis recusar, considerando demasiada a exigência; depois, reconheci que ela estava com a razão. Afinal, o conselho não visava a interesses dela, e sim ao meu próprio benefício. E ganhei muito, aceitando-lhe o parecer. Sinto-me mais equilibrada e mais humana e, creio, viverei com dignidade espiritual minha futura experiência na Terra.

Ia manifestar profunda admiração, mas um dos enfermos **28.5** próximos gritou:

— Narcisa! Narcisa!

Não me cabia reter, por mera curiosidade pessoal, aquela irmã dedicada, transformada em mãe espiritual dos sofredores.

29
A visão de Francisco

Quando Narcisa consolava o doente aflito, fui informado 29.1 de que me chamavam ao aparelho de comunicações urbanas.

Era a senhora Laura que pedia notícias. De fato, esquecera-me de avisá-la sobre as deliberações de serviço noturno. Pedi desculpas à minha benfeitora e forneci rápido relatório verbal da nova situação. Por meio do fio, a genitora de Lísias parecia exultar, compartilhando meu justo contentamento.

Ao termo de nossa ligeira conversa, disse bondosa:

— Muito bem, meu filho! Apaixone-se pelo seu trabalho, embriague-se de serviço útil. Somente assim, atenderemos à nossa edificação eterna. Lembre, porém, que esta casa também lhe pertence.

Aquelas palavras encheram-me de nobres estímulos.

Regressando ao contato direto com os enfermos, notei Narcisa a lutar heroicamente por acalmar um rapaz que revelava singulares distúrbios.

Procurei ajudá-la.

29.2   O pobrezinho, de olhos perdidos no espaço, gritava espantadiço:

— Acuda-me, por amor de Deus! Tenho medo, medo!

E, olhar esgazeado dos que experimentam profundas sensações de pavor, acentuava:

— Irmã Narcisa, lá vem "ele", o monstro! Sinto os vermes novamente! "Ele"! "Ele"!... Livre-me "dele", irmã! Não quero, não quero!

— Calma, Francisco — pedia a companheira dos infortunados —, você vai libertar-se, ganhar muita serenidade e alegria, mas depende do seu esforço. Faça de conta que a sua mente é uma esponja embebida em vinagre. É necessário expelir a substância azeda. Ajudá-lo-ei a fazê-lo, mas o trabalho mais intenso cabe a você mesmo.

O doente mostrava boa vontade, acalmava-se enquanto ouvia os conceitos carinhosos, mas volvia à mesma palidez de antes, prorrompendo em novas exclamações:

— Mas, irmã, repare bem... "ele" não me deixa. Já voltou a atormentar-me! Veja, veja!...

— Estou vendo-o, Francisco — respondia ela, cordata —, mas é indispensável que você me ajude a expulsá-lo.

— Este fantasma diabólico! — acrescentava a chorar como criança, provocando compaixão.

— Confie em Jesus e esqueça o monstro — dizia a irmã dos infelizes, piedosamente. — Vamos ao passe. O fantasma fugirá de nós.

E aplicou-lhe fluidos salutares e reconfortadores, que Francisco agradeceu, manifestando imensa alegria no olhar.

— Agora — disse ele, finda a operação magnética —, estou mais tranquilo.

Narcisa ajeitou-lhe os travesseiros, mandou que uma serva lhe trouxesse água magnetizada.

Aquela exemplificação da enfermeira edificava-me. O 29.3
bem, como o mal, em toda parte, estabelece misterioso contágio.

Observando-me o sincero desejo de aprender, Narcisa aproximou-se mais, mostrando-se disposta a iniciar-me nos sublimes segredos do serviço.

— A quem se refere o doente? — indaguei impressionado. — Está, porventura, assediado por alguma sombra invisível ao meu olhar?

A velha servidora das Câmaras de Retificação sorriu carinhosamente e falou:

— Trata-se do seu próprio cadáver.

— Que me diz? — tornei, espantado.

— O pobrezinho era excessivamente apegado ao corpo físico e veio para a esfera espiritual após um desastre, oriundo de pura imprudência. Esteve, durante muitos dias, ao lado dos despojos, em pleno sepulcro, sem se conformar com situação diversa. Queria firmemente levantar o corpo hirto, tal o império da ilusão em que vivera, e, nesse triste esforço, gastou muito tempo. Amedrontava-se com a ideia de enfrentar o desconhecido e não conseguia acumular nem mesmo alguns átomos de desapego às sensações físicas. Não valeram socorros das esferas mais altas, porque fechava a zona mental a todo pensamento relativo à vida eterna. Por fim, os vermes fizeram-lhe experimentar tamanhos padecimentos que o pobre se afastou do túmulo, tomado de horror. Começou, então, a peregrinar nas zonas inferiores do Umbral; no entanto, os que lhe foram pais na Terra possuem aqui grandes créditos espirituais e rogaram sua internação na colônia. Trouxeram-no os Samaritanos, quase à força. Seu estado, contudo, é ainda tão grave que não poderá ausentar-se, tão cedo, das Câmaras de Retificação. O amigo, que lhe foi genitor na carne, está presentemente em arriscada missão, distante de Nosso Lar...

— E vem visitar o doente? — perguntei.

29.4 — Já veio duas vezes e experimentei grande comoção observando-lhe o sofrimento, discreto. Tamanha é a perturbação do rapaz que não reconheceu o pai generoso e dedicado. Gritava, aflito, mostrando a demência dolorosa. O genitor, que veio vê-lo em companhia do ministro Pádua, do Ministério da Comunicação, pareceu muito superior à condição humana, enquanto se encontrava com o nobre amigo que obtivera hospitalidade para o filho infeliz. Demoraram-se bastante, comentando a situação espiritual dos recém-chegados dos círculos carnais. Mas, quando o ministro Pádua se retirou, compelido por circunstâncias de serviço, o pai do rapaz me pediu lhe perdoasse o gesto humano e ajoelhou-se diante do enfermo. Tomou-lhe as mãos, ansioso, como se estivesse a transmitir vigorosos fluidos vitais, e beijou-lhe a face, chorando copiosamente. Não pude conter as lágrimas e retirei-me, deixando-os a sós. Não sei o que se passou, em seguida, entre ambos, mas notei que Francisco, desde esse dia, melhorou bastante. A demência total reduziu-se a crises que são, agora, cada vez mais espaçadas.

— Como tudo isso comove! — exclamei sob forte impressão. — Entretanto, como pode a imagem do cadáver persegui-lo?

— A visão de Francisco — esclareceu a velhinha, atenciosa — é o pesadelo de muitos Espíritos depois da morte carnal. Apegam-se demasiadamente ao corpo, não enxergam outra coisa, nem vivem senão dele e para ele, votando-lhe verdadeiro culto, e, vindo o sopro renovador, não o abandonam. Repelem quaisquer ideias de espiritualidade e lutam desesperadamente para conservá-lo. Surgem, no entanto, os vermes vorazes, e os expulsam. A essa altura, horrorizam-se do corpo e adotam nova atitude extremista. A visão do cadáver, porém, como forte criação mental deles mesmos, atormenta-os no imo da alma. Sobrevêm perturbações e crises, mais ou menos longas, e muito sofrem até a eliminação integral do seu fantasma.

Notando-me a comoção, Narcisa acrescentou: 29.5
— Graças ao Pai, venho aproveitando bastante, nestes últimos anos de serviço. Ah! como é profundo o sono espiritual da maioria de nossos irmãos na carne! Isto, porém, deve preocupar-nos, mas não deve ferir-nos. A crisálida cola-se à matéria inerte, mas a borboleta alçará o voo; a semente é quase imperceptível e, no entanto, o carvalho será um gigante. A flor morta volve à terra, mas o perfume vive no céu. Todo embrião de vida parece dormir. Não devemos esquecer estas lições.

E Narcisa calou-se, sem que me atrevesse a interromper-lhe o silêncio.

30
Herança e eutanásia

Ainda não voltara a mim da profunda surpresa, quando 30.1 Salústio se aproximou, informando a Narcisa:

— Nossa irmã Paulina deseja ver o pai enfermo, no Pavilhão 5. Antes de atender, julguei razoável consultá-la, porque o doente continua em crise muito aguda.

Mostrando gestos de bondade que lhe eram característicos, Narcisa acentuou:

— Mande-a entrar sem demora. Ela tem permissão da ministra, visto estar consagrando o tempo disponível em tarefa de reconciliação dos familiares.

Enquanto o mensageiro se despedia apressado, a enfermeira bondosa acrescentava, dirigindo-se a mim:

— Você verá que filha dedicada!

Não decorrera um minuto e Paulina estava diante de nós, esbelta e linda. Trajava uma túnica muito leve, tecida em seda luminosa. Angelical beleza caracterizava-lhe os traços fisionômicos, mas os olhos denunciavam extrema preocupação.

Narcisa apresentou-a delicadamente e, sentindo talvez que poderia confiar na minha presença, perguntou, algo inquieta:

— E papai, minha amiga?

— Um pouco melhor — esclareceu a enfermeira —; no entanto, ainda acusa desequilíbrios fortes.

— É lamentável — retrucou a jovem —, nem ele nem os outros cedem no estado mental a que se recolheram. Sempre o mesmo ódio e a mesma displicência.

Narcisa nos convidou a acompanhá-la, e, minutos após, tinha diante de mim um velho de fisionomia desagradável. Olhar duro, cabeleira desgrenhada, rugas profundas, lábios retraídos, inspirava mais piedade que simpatia. Procurei, contudo, vencer as vibrações inferiores que me dominaram, a fim de observar, acima do sofredor, o irmão espiritual. Desapareceu a impressão de repugnância, aclarando-se-me os raciocínios. Apliquei a lição a mim mesmo. Como teria chegado, por minha vez, ao Ministério do Auxílio? Deveria ser horrível meu semblante de desesperado. Quando examinamos a desventura de alguém, lembrando as próprias deficiências, há sempre asilo para o amor fraterno, no coração.

O velho enfermo não teve uma palavra de ternura para a filha que o saudou carinhosa. Por meio do olhar, que evidenciava aspereza e revolta, semelhava-se a uma fera humana enjaulada.

— Papai, o senhor sente-se melhor? — perguntou com extremo carinho filial.

— Ai!... Ai!... — gritou o doente em voz estentórica. — Não posso esquecer o infame, não posso descansar o pensamento... Ainda o vejo a meu lado, ministrando-me o veneno mortal!...

— Não diga isso, papai — pediu a moça delicadamente. — Lembre-se de que Edelberto entrou em nossa casa como filho, enviado por Deus.

— Meu filho?! — gritou o infeliz. — Nunca! Nunca!... É criminoso sem perdão, filho do inferno!...

Paulina falava, agora, com os olhos rasos de água:

30.3

— Ouçamos, papai, a lição de Jesus, que recomenda nos amemos uns aos outros. Atravessamos experiências consanguíneas, na Terra, para adquirir o verdadeiro amor espiritual. Aliás, é indispensável reconhecer que só existe um Pai realmente eterno, que é Deus, mas o Senhor da Vida nos permite a paternidade ou a maternidade no mundo, a fim de aprendermos a fraternidade sem mácula. Nossos lares terrestres são cadinhos de purificação dos sentimentos ou templos de união sublime, a caminho da solidariedade universal. Muito lutamos e padecemos, até adquirir o verdadeiro título de irmão. Somos todos uma só família na Criação, sob a bênção providencial de um Pai único.

Ouvindo-lhe a voz muito meiga, o doente se pôs a chorar convulsivamente.

— Perdoe Edelberto, papai! Procure sentir nele não o filho leviano, mas o irmão necessitado de esclarecimento. Estive em nossa casa, ainda hoje, lá observando extremas perturbações. Daqui, deste leito, o senhor envolve todos os nossos em fluidos de amargura e incompreensão, e eles lhe fazem o mesmo por idêntico modo. O pensamento, em vibrações sutis, alcança o alvo, por mais distante que esteja. A permuta de ódio e desentendimento causa ruína e sofrimento nas almas. Mamãe recolheu-se, faz alguns dias, ao hospício, ralada de angústia. Amália e Cacilda entraram em luta judicial com Edelberto e Agenor, em virtude dos grandes patrimônios materiais que o senhor ajuntou nas esferas da carne. Um quadro terrível, cujas sombras poderiam diminuir, se sua mente vigorosa não estivesse mergulhada em propósitos de vingança. Aqui, vemo-lo em estado grave; na Terra, mamãe louca e os filhos perturbados, odiando-se entre si. Em meio a tantas mentes desequilibradas, uma fortuna de um milhão e quinhentos mil cruzeiros. E que vale isso se não há um átomo de felicidade para ninguém?

30.4 — Mas eu leguei enorme patrimônio à família — atalhou o infeliz, rancorosamente —, desejando o bem-estar de todos...

Paulina não o deixou terminar, retomando a palavra:

— Nem sempre sabemos interpretar o que seja benefício, no capítulo da riqueza transitória. Se o senhor assegurasse o futuro dos nossos, garantindo-lhes a tranquilidade moral e o trabalho honesto, seu esforço seria de valiosa previdência, mas, às vezes, papai, costumamos amealhar o dinheiro por espírito de vaidade e ambição. Querendo viver acima dos outros, não nos lembramos disso, senão nas expressões externas da vida. São raros os que se preocupam em ajuntar conhecimentos nobres, qualidades de tolerância, luzes de humildade, bênçãos de compreensão. Impomos a outrem os nossos caprichos, afastamo-nos dos serviços do Pai, esquecemos a lapidação do nosso espírito. Ninguém nasce no planeta simplesmente para acumular moedas nos cofres ou valores nos bancos. É natural que a vida humana peça o concurso da previdência, e é justo que não prescinda da contribuição de mordomos fiéis, que saibam administrar com sabedoria, mas ninguém será mordomo do Pai com avareza e propósitos de dominação. Tal gênero de vida arruinou nossa casa. Debalde, noutro tempo, busquei levar socorro espiritual ao ambiente doméstico. Enquanto o senhor e a mamãe se sacrificaram por aumentar haveres, Amália e Cacilda esqueceram o serviço útil e, como preguiçosas da banalidade social, encontraram ociosos que as desposaram, visando a vantagens financeiras. Agenor repudiou o estudo sério, entregando-se a más companhias. Edelberto conquistou o título de médico, alheando-se por completo da Medicina e exercendo-a tão somente de longe em longe, à maneira do trabalhador que visita o serviço por curiosidade. Todos arruinaram belas possibilidades espirituais, distraídos pelo dinheiro fácil e apegados à ideia de herança.

O enfermo tomou uma expressão de pavor e acrescentou:

— Maldito Edelberto! Filho criminoso e ingrato! Matou-me sem piedade, quando ainda necessitava regularizar minhas disposições testamentárias! Malvado!... Malvado!...

— Cale-se, papai! Tenha compaixão de seu filho, perdoe e esqueça!...

O velho, porém, continuou a praguejar em voz alta. A jovem preparava-se para discutir, mas Narcisa endereçou-lhe significativo olhar, chamando Salústio para socorrer o doente em crise. Calou-se Paulina, acariciando a fronte paterna e contendo, a custo, as lágrimas. Daí a instante, retirava-me em companhia de ambas, sob forte impressão.

As duas amigas trocaram confidências, ainda por alguns minutos, despedindo-se Paulina a evidenciar muita generosidade nas frases gentis, mas muita tristeza no olhar afogado em justa preocupação.

Voltando à intimidade, Narcisa disse bondosa:

— Os casos de herança, em regra, são extremamente complicados. Com raras exceções, acarretam enorme peso a "legadores" e legatários. Neste caso, porém, vemos não só isso, mas também a eutanásia. A ambição do dinheiro criou, em toda a família de Paulina, esquisitices e desavenças. Pais avarentos possuem filhos esbanjadores. Fui à casa de nossa amiga, quando o irmão, o Edelberto, médico de aparência distinta, empregou, no genitor quase moribundo, a chamada "morte suave". Esforçamo-nos por o evitar, mas foi tudo em vão. O pobre rapaz desejava, de fato, apressar o desenlace, por questões de ordem financeira, e aí temos agora a imprevidência e o resultado — o ódio e a moléstia.

E, com expressivo gesto, Narcisa rematou:

— Deus criou seres e céus, mas nós costumamos transformar-nos em espíritos diabólicos, criando nossos infernos individuais.

31
Vampiro

Eram 21 horas. Ainda não havíamos descansado, senão em momentos de palestra rápida, necessária à solução de problemas espirituais. Aqui, um doente pedia alívio; ali, outro necessitava passes de reconforto. Quando fomos atender dois enfermos, no Pavilhão 11, escutei gritaria próxima. Fiz instintivo movimento de aproximação, mas Narcisa deteve-me atenciosa: 31.1

— Não prossiga — disse —; localizam-se ali os desequilibrados do sexo. O quadro seria extremamente doloroso para seus olhos. Guarde essa emoção para mais tarde.

Não insisti. Entretanto, fervilhavam-me no cérebro mil interrogações. Abrira-se um mundo novo à minha pesquisa intelectual. Era indispensável recordar o conselho da genitora de Lísias, a cada momento, para não me desviar da obrigação justa.

Logo após às 21 horas, chegou alguém dos fundos do enorme parque. Era um homenzinho de semblante singular, evidenciando a condição de trabalhador humilde. Narcisa recebeu-o com gentileza, perguntando:

31.2 — Que há, Justino? Qual é a sua mensagem?

O operário, que integrava o corpo de sentinelas das Câmaras de Retificação, respondeu aflito:

— Venho participar que uma infeliz mulher está pedindo socorro no grande portão que dá para os campos de cultura. Creio tenha passado despercebida aos vigilantes das primeiras linhas...

— E por que não a atendeu? — interrogou a enfermeira.

O servidor fez um gesto de escrúpulo e explicou:

— Segundo as ordens que nos regem, não pude fazê-lo, porque a pobrezinha está rodeada de pontos negros.

— Que me diz? — revidou Narcisa, assustada.

— Sim, senhora.

— Então, o caso é muito grave.

Curioso, segui a enfermeira, através do campo enluarado. A distância não era pequena. Lado a lado, via-se o arvoredo tranquilo do parque muito extenso, agitado pelo vento caricioso. Havíamos percorrido mais de um quilômetro quando atingimos a grande cancela a que se referira o trabalhador.

Deparou-se-nos, então, a miserável figura da mulher que implorava socorro do outro lado. Nada vi senão o vulto da infeliz, coberta de andrajos, rosto horrendo e pernas em chaga viva, mas Narcisa parecia divisar outros detalhes, imperceptíveis ao meu olhar, dado o assombro que estampou na fisionomia, ordinariamente calma.

— Filhos de Deus — bradou a mendiga ao avistar-nos —, dai-me abrigo à alma cansada! Onde está o paraíso dos eleitos, para que eu possa fruir a paz desejada?

Aquela voz lamuriosa sensibilizava-me o coração. Narcisa, por sua vez, mostrava-se comovida, mas falou em tom confidencial:

— Não está vendo os pontos negros?

— Não — respondi.

— Sua visão espiritual ainda não está suficientemente **31.3** educada.

E, depois de ligeira pausa, continuou:

— Se estivesse em minhas mãos, abriria imediatamente a nossa porta, mas, quando se trata de criaturas nestas condições, nada posso resolver por mim mesma. Preciso recorrer ao vigilante-chefe em serviço.

Assim dizendo, aproximou-se da infeliz e informou, em tom fraterno:

— Faça o obséquio de esperar alguns minutos.

Voltamos apressadamente ao interior. Pela primeira vez, entrei em contato com o diretor das sentinelas das Câmaras de Retificação. Narcisa apresentou-me e notificou-lhe a ocorrência. Ele esboçou um gesto significativo e ajuntou:

— Fez muito bem, comunicando-me o fato. Vamos até lá.

Dirigimo-nos os três para o local indicado.

Chegados à cancela, o irmão Paulo, orientador dos vigilantes, examinou atentamente a recém-chegada do Umbral e disse:

— Esta mulher, por enquanto, não pode receber nosso socorro. Trata-se de um dos mais fortes vampiros que tenho visto até hoje. É preciso entregá-la à própria sorte.

Senti-me escandalizado. Não seria faltar aos deveres cristãos abandonar aquela sofredora ao azar do caminho? Narcisa, que me pareceu compartilhar da mesma impressão, adiantou-se suplicante:

— Mas, irmão Paulo, não há um meio de acolhermos essa miserável criatura nas Câmaras?

— Permitir essa providência — esclareceu ele — seria trair minha função de vigilante.

E, indicando a mendiga que esperava a decisão, a gritar impaciente, exclamou para a enfermeira:

— Já notou, Narcisa, alguma coisa além dos pontos negros?

31.4 Agora, era minha instrutora de serviço que respondia negativamente.

— Pois vejo mais — respondeu o vigilante-chefe.

Baixando o tom de voz, recomendou:

— Conte as manchas pretas.

Narcisa fixou o olhar na infeliz e respondeu, após alguns instantes:

— Cinquenta e oito.

Irmão Paulo, com a generosidade dos que sabem esclarecer com amor, explicou:

— Esses pontos escuros representam 58 crianças assassinadas ao nascerem. Em cada mancha vejo a imagem mental de uma criancinha aniquilada, umas por golpes esmagadores, outras por asfixia. Essa desventurada criatura foi profissional de ginecologia. A pretexto de aliviar consciências alheias, entregava-se a crimes nefandos, explorando a infelicidade de jovens inexperientes. A situação dela é pior que a dos suicidas e homicidas, que, por vezes, apresentam atenuantes de vulto.

Recordei, assombrado, os processos da Medicina em que muitas vezes enxergara, de perto, a necessidade da eliminação de nascituros para salvar o organismo materno, nas ocasiões perigosas, mas, lendo-me o pensamento, o irmão Paulo acrescentou:

— Não falo aqui de providências legítimas, que constituem aspectos das provações redentoras; refiro-me ao crime de assassinar os que começam a trajetória na experiência terrestre, com o direito sublime da vida.

Demonstrando a sensibilidade das almas nobres, Narcisa rogou:

— Irmão Paulo, também eu já errei muito no passado. Atendamos a esta desventurada. Se me permite, eu lhe dispensarei cuidados especiais.

— Reconheço, minha amiga — respondeu o diretor da vigilância, impressionando pela sinceridade —, que todos somos espíritos endividados; entretanto, temos a nosso favor o reconhecimento das próprias fraquezas e a boa vontade de resgatar nossos débitos, mas esta criatura, por agora, nada deseja senão perturbar quem trabalha. Os que trazem os sentimentos calejados na hipocrisia emitem forças destrutivas. Para que nos serve aqui um serviço de vigilância?

E, sorrindo expressivamente, exclamou:

— Busquemos a prova.

O vigilante-chefe aproximou-se, então, da pedinte e perguntou:

— Que deseja a irmã, do nosso concurso fraterno?

— Socorro! Socorro! Socorro!... — respondeu lacrimosa.

— Mas, minha amiga — ponderou acertadamente —, é preciso sabermos aceitar o sofrimento retificador. Por que razão tantas vezes cortou a vida a entezinhos frágeis, que iam à luta com a permissão de Deus?

Ouvindo-o inquieta, ela exibiu terrível carantonha de ódio e bradou:

— Quem me atribui essa infâmia? Minha consciência está tranquila, canalha!... Empreguei a existência auxiliando a maternidade na Terra. Fui caridosa e crente, boa e pura...

— Não é isso que se observa na fotografia viva dos seus pensamentos e atos. Creio que a irmã ainda não recebeu nem mesmo o benefício do remorso. Quando abrir sua alma às bênçãos de Deus, reconhecendo as necessidades próprias, então, volte até aqui.

Irada, respondeu a interlocutora:

— Demônio! Feiticeiro! Sequaz de Satã!... Não voltarei jamais!... Estou esperando o Céu que me prometeram e que espero encontrar.

31.6   Assumindo atitude ainda mais firme, falou o vigilante-chefe com autoridade:

— Faça, então, o favor de retirar-se. Não temos aqui o Céu que deseja. Estamos numa casa de trabalho, onde os doentes reconhecem o seu mal e tentam curar-se junto de servidores de boa vontade.

A mendiga objetou atrevidamente:

— Não lhe pedi remédio, nem serviço. Estou procurando o paraíso que fiz por merecer, praticando boas obras.

E, endereçando-nos dardejante olhar de extrema cólera, perdeu o aspecto de enferma ambulante, retirando-se a passo firme, como quem permanece absolutamente senhor de si.

Acompanhou-a o irmão Paulo com o olhar, durante longos minutos, e, voltando-se para nós, acrescentou:

— Observaram o vampiro? Exibe a condição de criminosa e declara-se inocente; é profundamente má e afirma-se boa e pura; sofre desesperadamente e alega tranquilidade; criou um inferno para si própria e assevera que está procurando o Céu.

Ante o silêncio com que lhe ouvíamos a lição, o vigilante-chefe rematou:

— É imprescindível tomar cuidado com as boas ou más aparências. Naturalmente, a infeliz será atendida alhures pela Bondade divina, mas, por princípio de caridade legítima, na posição em que me encontro, não lhe poderia abrir nossas portas.

32
Notícias de Veneranda

Agora que penetrara o parque banhado de luz, experimentava singular fascinação.   **32.1**

Aquelas árvores acolhedoras, aquelas virentes sementeiras reclamavam-me a todo momento. De maneira indireta, provocava explicações de Narcisa, enunciando perguntas veladas.

— No grande parque — dizia ela — não há somente caminhos para o Umbral ou apenas cultura de vegetação destinada aos sucos alimentícios. A ministra Veneranda criou planos excelentes para os nossos processos educativos.

E, observando-me a curiosidade sadia, continuou esclarecendo:

— Trata-se dos "salões verdes" para serviço de educação. Entre as grandes fileiras das árvores, há recintos de maravilhosos contornos para as conferências dos ministros da Regeneração; outros para ministros visitantes e estudiosos em geral, reservando-se, porém, um de assinalada beleza para as conversações do governador, quando ele se digna de vir até nós. Periodicamente, as árvores eretas se cobrem de flores, dando ideia de pequenas torres coloridas, cheias de encantos naturais. Temos, assim, no firmamento, o teto acolhedor, com as bênçãos do Sol ou das estrelas distantes.

32.2 — Devem ser prodigiosos esses palácios da natureza — acrescentei.

— Sem dúvida — prosseguiu a enfermeira, entusiasticamente —, o projeto da ministra despertou, segundo me informaram, aplausos francos em toda a colônia. Soube que tal se dera havia precisamente quarenta anos. Iniciou-se, então, a campanha do "salão natural". Todos os Ministérios pediram cooperação, inclusive o da União Divina, que solicitou o concurso de Veneranda na organização de recintos dessa ordem, no Bosque das Águas. Surgiram deliciosos recantos em toda parte. Os mais interessantes, todavia, a meu ver, são os que se instituíram nas escolas. Variam nas formas e dimensões. Nos parques de educação do Esclarecimento, instalou a ministra um verdadeiro castelo de vegetação, em forma de estrela, dentro do qual se abrigam cinco numerosas classes de aprendizados e cinco instrutores diferentes. No centro, funciona enorme aparelho destinado a demonstrações pela imagem, à maneira do cinematógrafo terrestre, com o qual é possível levar a efeito cinco projeções variadas, simultaneamente. Essa iniciativa melhorou consideravelmente a cidade, unindo no mesmo esforço o serviço proveitoso à utilidade prática e à beleza espiritual.

Valendo-me da pausa natural, interpelei:

— E o mobiliário dos salões? Tal como dos grandes recintos terrenos?

Narcisa sorriu e acentuou:

— Há diferença. A ministra idealizou os quadros evangélicos do tempo que assinalou a passagem do Cristo pelo mundo, e sugeriu recursos da própria natureza. Cada "salão natural" tem bancos e poltronas esculturados na substância do solo, forrados de relva olente e macia. Isso imprime formosura e disposições características. Disse a organizadora que seria justo lembrar as preleções do Mestre, em plena praia, quando de suas divinas excursões junto ao Tiberíades, e dessa recordação surgiu o empreendimento do "mobiliário natural". A conservação exige cuidados permanentes, mas a beleza dos quadros representa vasta compensação.

A essa altura, interrompeu-se a bondosa enfermeira, mas, identificando-me o interesse silencioso, prosseguiu: 32.3

— O mais belo recinto do nosso Ministério é o destinado às palestras do governador. A ministra Veneranda descobriu que ele sempre estimou as paisagens de gosto helênico, mais antigo, e decorou o salão a traços especiais, formados em pequenos canais de água fresca, pontes graciosas, lagos minúsculos, palanquins de arvoredo e frondejante vegetação. Cada mês do ano mostra cores diferentes, em razão das flores que se vão modificando em espécie, de trinta a trinta dias. A ministra reserva o mais lindo aspecto para o mês de dezembro, em comemoração ao Natal de Jesus, quando a cidade recebe os mais formosos pensamentos e as mais vigorosas promessas dos nossos companheiros encarnados na Terra e envia, por sua vez, ardentes afirmações de esperança e serviço às esferas superiores, em homenagem ao Mestre dos mestres. Esse salão é nota de júbilo para os nossos Ministérios. Talvez já saiba que o governador aqui vem, quase que semanalmente, aos domingos. Ali permanece longas horas, conferenciando com os ministros da Regeneração, conversando com os trabalhadores, oferecendo sugestões valiosas, examinando nossas vizinhanças com o Umbral, recebendo nossos votos e visitas, e confortando enfermos convalescentes. À noitinha, quando pode demorar-se, ouve música e assiste a números de arte, executados por jovens e crianças dos nossos educandários. A maioria dos forasteiros que se hospeda em Nosso Lar costuma vir até aqui só no propósito de conhecer esse "palácio natural", que acomoda confortavelmente mais de trinta mil pessoas.

32.4   Ouvindo os interessantes informes, eu experimentava um misto de alegria e curiosidade.

— O salão da ministra Veneranda — continuou Narcisa, animadamente — é também esplêndido recinto, cuja conservação nos merece especial carinho. Todo o nosso préstimo será pouco para retribuir as dedicações dessa abnegada serva de Nosso Senhor. Grande número de benefícios, neste Ministério, foram por ela criados para atender os mais infelizes. Sua tradição de trabalho, em Nosso Lar, é considerada pela Governadoria como das mais dignas. É a entidade com maior número de horas de serviço na colônia e a figura mais antiga do Governo e do Ministério, em geral. Permanece em tarefa ativa, nesta cidade, há mais de duzentos anos.

Impressionado com as informações, adiantei:

— Como deve ser respeitável essa benfeitora!...

— Você diz muito bem — atalhou Narcisa, com reverência —, é criatura das mais elevadas de nossa colônia espiritual. Os onze ministros, que com ela atuam na Regeneração, ouvem-na antes de tomar qualquer providência de vulto. Em numerosos processos, a Governadoria se socorre dos seus pareceres. Com exceção do governador, a ministra Veneranda é a única entidade, em Nosso Lar, que já viu Jesus nas Esferas resplandecentes, mas nunca comentou esse fato de sua vida espiritual e esquiva-se à menor informação a tal respeito. Além disso, há outra nota interessante relativamente a ela. Um dia, há quatro anos, Nosso Lar amanheceu em festa. As fraternidades da Luz, que regem os destinos cristãos da América, homenagearam Veneranda, conferindo-lhe a medalha do Mérito de Serviço, a primeira entidade da colônia que conseguiu, até hoje, semelhante triunfo, apresentando um milhão de horas de trabalho útil, sem interromper, sem reclamar e sem esmorecer. Generosa comissão veio trazer a honrosa mercê, mas em meio do júbilo geral, reunidos a Governadoria, os Ministérios e a multidão, na praça maior, a ministra Veneranda apenas chorou em silêncio. Entregou, em seguida, o troféu aos arquivos da cidade, afirmando que não o merecia e transmitindo-o à personalidade coletiva da colônia, apesar dos protestos do governador. Desistiu de todas as homenagens festivas com que se pretendia comemorar, mais tarde, o acontecimento, jamais comentando a honrosa conquista.

— Extraordinária mulher! — disse eu. — Por que não se encaminharia a esferas mais altas?   32.5

Narcisa baixou o tom de voz e declarou:

— Intimamente, ela vive em zonas muito superiores à nossa e permanece em Nosso Lar por espírito de amor e sacrifício. Soube que essa benfeitora sublime vem trabalhando, há mais de mil anos, pelo grupo de corações bem-amados que demoram na Terra, e espera com paciência.

— Como poderei conhecê-la? — perguntei impressionado.

Narcisa, que parecia alegrar-se com o meu interesse, explicou satisfeita:

— Amanhã, à tardinha, após as preces, a ministra virá ao salão, a fim de esclarecer alguns aprendizes sobre o pensamento.

33
Curiosas observações

Poucos minutos antes de meia-noite, Narcisa permitiu mi-   **33.1**
nha ida ao grande portão das Câmaras. Os Samaritanos deviam estar nas vizinhanças. Era imprescindível observar-lhes a volta, para tomar providências.

Com que emoção tornei ao caminho cercado de árvores frondosas e acolhedoras! Aqui, troncos que recordavam o carvalho vetusto da Terra; além, folhas caprichosas lembrando a acácia e o pinheiro. Aquele ar embalsamado figurava-se-me uma bênção. Nas Câmaras, apesar das janelas amplas, não experimentara tamanha impressão de bem-estar. Assim caminhava, silencioso, sob as frondes carinhosas. Ventos frescos agitavam-nas de manso, envolvendo-me em sensações de repouso.

Sentindo-me só, ponderei os acontecimentos que me sobrevieram desde o primeiro encontro com o ministro Clarêncio. Onde estaria a paragem de sonho? Na Terra ou naquela colônia espiritual? Que teria sucedido à Zélia e aos filhinhos? Por que razão me prestavam ali tão grandes esclarecimentos sobre as mais variadas questões da vida, omitindo, contudo, qualquer notícia pertinente ao meu antigo lar? Minha própria mãe me aconselhara o silêncio, abstendo-se de qualquer informação direta.

33.2   Tudo indicava a necessidade de esquecer os problemas carnais, no sentido de renovar-me intrinsecamente, e, no entanto, penetrando os recessos do ser, encontrava a saudade viva dos meus. Desejava ardentemente rever a esposa muito amada, receber de novo o beijo dos filhinhos... Por que decisões do destino estávamos agora separados, como se eu fosse um náufrago em praia desconhecida? Simultaneamente, ideias generosas confortavam-me o íntimo. Não era eu o náufrago abandonado. Se minha experiência podia classificar-se como naufrágio, não devia o desastre senão a mim mesmo. Agora que observava em Nosso Lar vibrações novas de trabalho intenso e construtivo, admirava-me de haver perdido tanto tempo no mundo em frioleiras de toda sorte.

Em verdade, muito amara a companheira de lutas e, sem dúvida, dispensara aos filhinhos ternuras incessantes, mas, examinando desapaixonadamente minha situação de esposo e pai, reconhecia que nada criara de sólido e útil no espírito dos meus familiares. Tarde verificava esse descuido. Quem atravessa um campo sem organizar sementeira necessária ao pão e sem proteger a fonte que sacia a sede não pode voltar com a intenção de abastecer-se. Tais pensamentos instalavam-se-me no cérebro com veemência irritante. Ao deixar os círculos carnais, encontrara as penúrias da incompreensão. E que teria sucedido à esposa e aos filhinhos, deslocados da estabilidade doméstica para as sombras da viuvez e da orfandade? Inútil interrogação.

O vento calmo parecia sussurrar concepções grandiosas, como que desejoso de me espertar a mente para estados mais altos.

Torturavam-me as inquirições internas, mas, prendendo-me então aos imperativos do dever justo, aproximei-me da grande cancela, investigando além, através dos campos de cultura.

Tudo luar e serenidade, céu sublime e beleza silenciosa! **33.3** Extasiando-me na contemplação do quadro, demorei alguns minutos entre a admiração e a prece.

Instantes depois, divisei ao longe dois vultos enormes que me impressionaram vivamente. Pareciam dois homens de substância indefinível, semiluminosa. Dos pés e dos braços pendiam filamentos estranhos, e da cabeça como que se escapava um longo fio de singulares proporções. Tive a impressão de identificar dois autênticos fantasmas. Não suportei. Cabelos eriçados, voltei apressadamente ao interior. Inquieto e amedrontado, expus a Narcisa a ocorrência, notando que ela mal continha o riso.

— Ora essa, meu amigo — disse, por fim, mostrando bom humor —, não reconheceu aquelas personagens?

Fundamente desapontado, nada consegui responder, mas Narcisa continuou:

— Também eu, por minha vez, experimentei a mesma surpresa, em outros tempos. Aqueles são os nossos próprios irmãos da Terra. Trata-se de poderosos Espíritos que vivem na carne em missão redentora e podem, como nobres iniciados da eterna Sabedoria, abandonar o veículo corpóreo, transitando livremente em nossos planos. Os filamentos e fios que observou são singularidades que os diferenciam de nós outros. Não se arreceie, portanto. Os encarnados que conseguem atingir estas paragens são criaturas extraordinariamente espiritualizadas, apesar de obscuras ou humildes na Terra.

E, encorajando-me bondosamente, acentuou:

— Vamos até lá. Temos quarenta minutos depois de meia-noite. Os Samaritanos não podem tardar.

Satisfeito, voltei com ela ao grande portão.

Lobrigava-se, ainda, a enorme distância, os dois vultos que se afastavam de Nosso Lar, tranquilamente.

33.4   A enfermeira contemplou-os, fez um gesto expressivo de reverência e exclamou:

— Estão envolvidos em claridade azul. Devem ser dois mensageiros muito elevados na esfera carnal, em tarefa que não podemos conhecer.

Ali estivemos, minutos longos, parados na contemplação dos campos silenciosos. Em dado momento, porém, a bondosa amiga indicou um ponto escuro no horizonte enluarado e observou:

— Lá vêm eles!

Identifiquei a caravana que avançava em nossa direção, sob a claridade branda do céu. De repente, ouvi o ladrar de cães, a grande distância.

— Que é isso? — interroguei assombrado.

— Os cães — disse Narcisa — são auxiliares preciosos nas regiões obscuras do Umbral, onde não estacionam somente os homens desencarnados, mas também verdadeiros monstros, que não cabe agora descrever.

A enfermeira, em voz ativa, chamou os servos distantes, enviando um deles ao interior, transmitindo avisos.

Fixei atentamente o grupo estranho que se aproximava devagarinho.

Seis grandes carros, formato diligência, precedidos de matilhas de cães alegres e bulhentos, eram tirados por animais que, mesmo de longe, me pareceram iguais aos muares terrestres. Mas a nota mais interessante era os grandes bandos de aves, de corpo volumoso, que voavam a curta distância, acima dos carros, produzindo ruídos singulares.

Dirigi-me, incontinente, a Narcisa, perguntando:

— Onde o aerôbus? Não seria possível utilizá-lo no Umbral?

Dizendo-me que não, indaguei das razões.

Sempre atenciosa, a enfermeira explicou:

— Questão de densidade da matéria. Pode você figurar um exemplo com a água e o ar. O avião que fende a atmosfera do planeta não pode fazer o mesmo na massa equórea. Poderíamos construir determinadas máquinas como o submarino, mas, por espírito de compaixão pelos que sofrem, os núcleos espirituais superiores preferem aplicar aparelhos de transição. Além disso, em muitos casos, não se pode prescindir da colaboração dos animais.

— Como assim? — perguntei surpreso.

— Os cães facilitam o trabalho, os muares suportam cargas pacientemente e fornecem calor nas zonas onde se faça necessário; e aquelas aves — acrescentou, indicando-as no espaço —, que denominamos íbis viajores, são excelentes auxiliares dos Samaritanos, por devorarem as formas mentais odiosas e perversas, entrando em luta franca com as trevas umbralinas.

Vinha, agora, mais próxima a caravana.

Narcisa fixou-me com bondosa atenção, rematando:

— Mas, no momento, o dever não comporta minudências informativas. Poderá colher valiosas lições sobre os animais, não aqui, mas no Ministério do Esclarecimento, onde se localizam os parques de estudo e experimentação.

E, distribuindo ordens de serviço, aqui e acolá, preparava-se para receber novos doentes do espírito.

34
Com os recém-chegados do Umbral

Estacaram as matilhas de cães ao nosso lado, conduzidas por trabalhadores de pulso firme.   **34.1**

Daí a minutos, estávamos todos enfrentando os enormes corredores de ingresso às Câmaras de Retificação. Servidores movimentavam-se apressados. Alguns doentes eram levados ao interior, sob amparo forte. Não somente Narcisa, Salústio e outros companheiros se lançavam à lide, cheios de amor fraternal, mas também os Samaritanos mobilizavam todas as energias no afã de socorrer. Alguns enfermos portavam-se com humildade e resignação; outros, todavia, reclamavam em altas vozes.

Atacando igualmente o serviço, notei que uma velhota procurava descer do último carro, com muita dificuldade. Observando-me perto, exclamou espantada:

— Tenha piedade, meu filho! Ajude-me por amor de Deus!...

34.2 Aproximei-me com interesse.

— Cruzes! Credo! — continuou, benzendo-se. — Graças à Providência divina, afastei-me do purgatório... Ah! que malditos demônios lá me torturavam! Que inferno! Mas os anjos do Senhor sempre chegaram.

Ajudei-a a descer, tomado de extrema curiosidade. Pela primeira vez, ouvia referências ao inferno e ao purgatório, partidas de uma boca que me parecia calma e ajuizada. Talvez obedecendo mais à malícia que me era peculiar, interroguei:

— Vem, assim, de tão longe?

Falando desse modo, afetei ares de profundo interesse fraternal, como costumava fazer na Terra, olvidando por completo, naquele instante, as sábias recomendações da mãe de Lísias. A pobre criatura, percebendo o meu interesse, começou a explicar-se:

— De grande distância. Fui, na Terra, meu filho, mulher de muito bons costumes; fiz muita caridade, rezei incessantemente como sincera devota. Mas quem pode com as artes de Satanás? Ao sair do mundo, vi-me cercada de seres monstruosos, que me arrebataram em verdadeiro torvelinho. A princípio implorei a proteção dos arcanjos celestes. Os espíritos diabólicos, entretanto, conservaram-me enclausurada. Mas eu não perdia a esperança de ser libertada, de um momento para outro, porque deixei uns dinheiros para celebração de missas mensais por meu descanso.

Atendendo ao impulso vicioso de perseguir assuntos que nada tinham que ver comigo, insisti:

— Como são interessantes as suas observações! Mas não procurou saber as razões de sua demora naquelas paragens?

— Absolutamente — respondeu, persignando-se. — Como lhe disse, enquanto estive na Terra, fiz o possível por ser uma boa religiosa. Sabe o senhor que ninguém está livre de pecar. Meus escravos provocavam rixas e contendas, e, embora a fortuna me proporcionasse vida calma, de quando em quando era necessário aplicar disciplinas. Os feitores eram excessivamente escrupulosos e eu não podia hesitar nas ordens de cada dia. Não raro algum negro morria no tronco para escarmento geral; outras vezes, era obrigada a vender as mães cativas, separando-as dos filhos, por questões de harmonia doméstica. Nessas ocasiões, sentia morder-me a consciência, mas confessava-me todos os meses, quando o padre Amâncio visitava a fazenda e, depois da comunhão, estava livre dessas faltas veniais, porque, recebendo a absolvição no confessionário e ingerindo a sagrada partícula, estava novamente em dia com todos os meus deveres para com o mundo e com Deus.

A essa altura, escandalizado com a exposição, comecei a doutrinar: **34.3**

— Minha irmã, essa razão de paz espiritual era falsa. Os escravos eram igualmente nossos irmãos. Perante o Pai eterno, os filhinhos dos servos são iguais aos dos senhores.

Ouvindo-me, ela bateu o pé autoritariamente e falou irritada:

— Isso é que não! Escravo é escravo. Se assim não fora, a religião nos ensinaria o contrário. Pois se havia cativos em casa de bispos, quanto mais em nossas fazendas? Quem haveria de plantar a terra, senão eles? E creia que sempre lhes concedi minhas senzalas como verdadeira honra!... Em minha fazenda nunca vieram ao terreiro das visitas senão para cumprir minhas ordens. Padre Amâncio, nosso virtuoso sacerdote, disse-me na confissão que os africanos são os piores entes do mundo, nascidos exclusivamente para servirem a Deus no cativeiro. Pensa, então, que me poderia encher de escrúpulos no trato com essa espécie de criaturas? Não tenha dúvida; os escravos são seres perversos, filhos de Satã! Chego a admirar-me da paciência com que tolerei essa gente na Terra. E devo declarar que saí quase inesperadamente do corpo, por me haver chocado a determinação da Princesa, libertando esses bandidos. Decorreram muitos anos, mas lembro-me perfeitamente. Achava-me adoentada, havia muitos dias, e, quando padre Amâncio trouxe a nova da cidade, piorei de súbito. Como poderíamos ficar no mundo, vendo esses criminosos em liberdade? Certo, eles desejariam escravizar-nos por sua vez, e a servir a gente dessa laia, não seria melhor morrer? Recordo que me confessei com dificuldade, recebi as palavras de conforto do nosso sacerdote, mas parece que os demônios são também africanos e viviam à espreita, sendo eu obrigada a sofrer-lhes a presença até hoje...

34.4 — E quando veio? — perguntei.

— Em maio de 1888.

Experimentei estranha sensação de espanto.

A interlocutora fixou o olhar embaciado no horizonte e falou:

— É possível que meus sobrinhos tenham esquecido de pagar as missas; entretanto, deixei a disposição em testamento.

Ia responder, convocando-lhe os raciocínios à zona superior, fornecendo-lhe ideias novas de fraternidade e fé, mas Narcisa aproximou-se e disse-me bondosa:

— André, meu amigo, você esqueceu que estamos providenciando alívio a doentes e perturbados? Que proveito lhe advém de semelhantes informações? Os dementes falam de maneira incessante, e quem os ouve, gastando interesse espiritual, pode não estar menos louco.

Aquelas palavras foram ditas com tanta bondade que corei de vergonha, sem coragem de a elas responder.

— Não se impressione — exclamou a enfermeira delicadamente —, atendamos os irmãos perturbados.

— Mas a senhora é de opinião que estou nesse número? — perguntou a velhota, melindrada.

Narcisa, porém, demonstrando suas excelentes qualidades de psicóloga, tomou expressão de fraternidade carinhosa e exclamou:

— Não, minha amiga, não digo isso; creio, porém, que deve estar muito cansada; seu esforço purgatorial foi muito longo...

— Justamente, justamente — esclareceu a recém-chegada do Umbral —, não imagina o que tenho sofrido, torturada pelos demônios...

A pobre criatura ia continuar repetindo a mesma história, mas Narcisa, ensinando-me como proceder em tais circunstâncias, atalhou:

— Não comente o mal. Já sei tudo que lhe ocorreu de amargo e doloroso. Descanse, pensando que vou atendê-la.

E, no mesmo instante, dirigiu-se a um dos auxiliares, sem afetação:

— Você, Zenóbio, vá ao departamento feminino e chame Nemésia, em meu nome, para que conduza mais uma irmã aos leitos de tratamento.

35
Encontro singular

Guardavam-se apetrechos da excursão e recolhiam-se animais de serviço, quando a voz de alguém se fez ouvir carinhosamente a meu lado: **35.1**

— André! Você aqui? Muito bem! Que agradável surpresa!...

Voltei-me surpreendido e reconheci, no Samaritano que assim falava, o velho Silveira, pessoa de meu conhecimento, a quem meu pai, como negociante inflexível, despojara, um dia, de todos os bens.

Justo acanhamento dominou-me então. Quis cumprimentá-lo, corresponder ao gesto afetuoso, mas a lembrança do passado paralisava-me de súbito. Não podia fingir naquele ambiente novo, onde a sinceridade transparecia de todos os semblantes. Foi o próprio Silveira que, compreendendo a situação, veio em meu socorro, acrescentando:

— Francamente, ignorava que você tivesse deixado o corpo e estava longe de pensar que o encontraria em Nosso Lar.

Identificando-lhe a amabilidade espontânea, abracei-o comovido, murmurando palavras de reconhecimento.

35.2   Quis ensaiar algumas explicações relativamente ao passado, mas não o consegui. No fundo, eu desejava pedir desculpas pelo procedimento de meu pai, levando-o ao extremo de uma falência desastrosa. Naquele instante, eu revia mentalmente o clichê do pretérito. A memória exibia, de novo, o quadro vivo. Parecia-me ouvir ainda a senhora Silveira, quando foi a nossa casa, suplicante, esclarecer a situação. O marido estava acamado havia muito, agravando-se-lhes a penúria com a enfermidade de dois filhinhos. As necessidades não eram reduzidas e os tratamentos exigiam soma considerável. A pobrezinha chorava, levando o lenço aos olhos. Pedia mora, implorava concessões justas. Humilhava-se, dirigindo olhares doridos à minha mãe, como a rogar entendimento e socorro no coração de outra mulher. Recordei que minha mãe intercedeu, generosa, e pediu a meu pai esquecesse os documentos assinados, abstendo-se de qualquer ação judicial. Meu genitor, porém, habituado a transações de vulto e favorecido pela sorte, não podia compreender a condição do retalhista. Manteve-se irredutível. Declarou que lamentava as ocorrências, que ajudaria o cliente e amigo de outro modo, frisando, porém, que, no tocante aos débitos reconhecidos, não via alternativa senão a de cumprir religiosamente os dispositivos legais. Não podia, afirmava, quebrar as normas e precedentes do seu estabelecimento comercial. As promissórias teriam efeito legal. E consolava a esposa aflita, comentando a situação de outros clientes que, a seu ver, se encontravam em piores condições que o Silveira. Lembrei os olhares de simpatia que minha mãe lançou à desventurada postulante afogada em lágrimas. Meu pai guardara profunda indiferença a todas as súplicas e, quando a pobre mulher se despediu, repreendeu minha mãe austeramente, proibindo-lhe qualquer intromissão na esfera dos negócios comerciais. A pobre família houve de arcar com a ruína financeira completa. Relembrava, perfeitamente, o instante em que o próprio piano da senhora Silveira foi retirado da residência para satisfazer às últimas exigências do credor implacável.

Queria desculpar-me; todavia, não encontrava frases justas, porque, na ocasião, também encorajara meu pai a consumar o iníquo atentado; considerava minha mãe excessivamente sentimentalista e induzira-o a prosseguir na ação, até o fim. Muito jovem ainda, a vaidade apossara-se de mim. Não queria saber se outros sofriam, não conseguia enxergar as necessidades alheias. Via, apenas, os direitos de minha casa, nada mais. E, nesse ponto, tinha sido inexorável. Inútil qualquer argumentação materna.

Derrotados na luta, os Silveiras haviam procurado recanto humilde no interior, amargando o desastre financeiro em extrema penúria. Nunca mais tivera notícias daquela família, que, certo, nos devia odiar.

Essas reminiscências alinhavam-se-me no cérebro com a rapidez de segundos. Num momento, reconstituíra todo o passado de sombras.

E, enquanto mal dissimulava o desapontamento, Silveira, sorrindo, chamava-me à realidade:

— Tem visitado o "velho"?

Aquela pergunta, a evidenciar espontâneo carinho, aumentava o meu pejo. Esclareci que, apesar do imenso desejo, não conseguira ainda tal satisfação.

Silveira identificou-me o constrangimento e, apiedando-se, talvez, do meu estado íntimo, procurou afastar-se.

Abraçou-me cavalheirescamente e voltou ao trabalho ativo.

Muito desconcertado, procurei Narcisa, ansioso de conselhos. Expus-lhe a ocorrência, detalhando os sucessos terrenos.

Ela ouviu-me com paciência e observou carinhosamente:

— Não estranhe o fato. Vi-me, há tempos, nas mesmas condições. Já tive a felicidade de encontrar por aqui o maior número das pessoas que ofendi no mundo. Sei, hoje, que isso é uma bênção do Senhor, que nos renova a oportunidade de restabelecer a simpatia interrompida, recompondo os elos quebrados da corrente espiritual.

35.4 E, tornando-se mais categórica no ensinamento, perguntou:
— Aproveitou, você, o belo ensejo?
— Que quer dizer? — indaguei.
— Desculpou-se com o Silveira? Olhe que é grande felicidade reconhecer os próprios erros. Já que você pode examinar-se a si mesmo com bastante luz de entendimento, identificando-se como antigo ofensor, não perca a oportunidade de se fazer amigo. Vá, meu caro, e abrace-o de outra maneira. Aproveite o momento, porque o Silveira é ocupadíssimo e talvez não se ofereça tão cedo outra oportunidade.

Notando-me a indecisão, Narcisa acrescentou:
— Não tema insucessos. Toda vez que oferecemos raciocínio e sentimento ao bem, Jesus nos concede quanto se faça necessário ao êxito. Tome a iniciativa. Empreender ações dignas, quaisquer que sejam, representa honra legítima para a alma. Recorde o Evangelho e vá buscar o tesouro da reconciliação.

Não mais vacilei. Corri ao encontro de Silveira e falei-lhe abertamente, rogando perdoasse a meu pai, e a mim, as ofensas e os erros cometidos.

— Você compreende — acentuei —, nós estávamos cegos. Em tal estado, nada conseguíamos vislumbrar, senão o interesse próprio. Quando o dinheiro se alia à vaidade, Silveira, dificilmente pode o homem afastar-se do mau caminho.

Silveira, comovidíssimo, não me deixou terminar:
— Ora, André, quem haverá isento de faltas? Acaso, poderia você acreditar que vivi isento de erros? Além disso, seu pai foi meu verdadeiro instrutor. Devemos-lhe, meus filhos e eu, abençoadas lições de esforço pessoal. Sem aquela atitude enérgica que nos subtraiu as possibilidades materiais, que seria de nós

no tocante ao progresso do espírito? Renovamos, aqui, todos os velhos conceitos da vida humana. Nossos adversários não são propriamente inimigos, e sim benfeitores. Não se entregue a lembranças tristes. Trabalhemos com o Senhor, reconhecendo o infinito da vida.

Fixando, emocionado, os meus olhos úmidos, afagou-me paternalmente e rematou: **35.5**

— Não perca tempo com isso. Breve, quero ter a satisfação de visitar seu pai, junto de você.

Abracei-o, então, em silêncio, experimentando alegria nova em minha alma. Pareceu-me que, num dos escaninhos escuros do coração, se me acendera divina luz para sempre.

36
O sonho

Prosseguiram os serviços, incessantemente. Enfermos exigindo cuidado, perturbados reclamando dedicação. 36.1

Ao cair da noite, já me sentia integrado no mecanismo dos passes, aplicando-os aos necessitados de toda sorte.

Pela manhã, regressou Tobias às Câmaras e, mais por generosidade que por outro motivo, estimulou-me com palavras animadoras.

— Muito bem, André! — exclamou ele, contente. — Vou recomendá-lo ao ministro Genésio e, pelos serviços iniciais, receberá bônus em dobro.

Ensaiava palavras de reconhecimento, quando a senhora Laura e Lísias chegaram e me abraçaram.

— Sentimo-nos profundamente satisfeitos — disse a generosa senhora, sorrindo —; acompanhei-o em espírito, durante a noite, e sua estreia no trabalho é motivo de justa alegria em nosso círculo doméstico. Disputei a satisfação de levar a notícia ao ministro Clarêncio, que me recomendou o cumprimentasse em nome dele.

36.2 Trocaram observações afetuosas com Tobias e Narcisa. Pediram-me relatório verbal de impressões e eu não cabia em mim de contente.

Minhas alegrias sublimes, porém, reservavam-se para depois.

Nada obstante o convite amável da genitora de Lísias para que voltasse a casa por descansar, Tobias pôs à minha disposição um apartamento de repouso, ao lado das Câmaras de Retificação, e aconselhou-me algum descanso. De fato, sentia grande necessidade do sono. Narcisa preparou-me o leito com desvelos de irmã.

Recolhido ao quarto confortável e espaçoso, orei ao Senhor da Vida, agradecendo-lhe a bênção de ter sido útil. A "proveitosa fadiga" dos que cumprem o dever não me deu ensejo a qualquer vigília desagradável.

Daí a instantes, sensações de leveza invadiram-me a alma toda e tive a impressão de ser arrebatado em pequenino barco, rumando a regiões desconhecidas. Para onde me dirigia? Impossível responder. A meu lado, um homem silencioso sustinha o leme. E qual criança que não pode enumerar nem definir as belezas do caminho, deixava-me conduzir sem exclamações de qualquer natureza, extasiado embora com as magnificências da paisagem. Parecia-me que a embarcação seguia célere, não obstante os movimentos de ascensão.

Decorridos minutos, vi-me à frente de um porto maravilhoso, onde alguém me chamou com especial carinho:

— André!... André!...

Desembarquei com precipitação verdadeiramente infantil. Reconheceria aquela voz entre milhares. Num momento, abraçava minha mãe em transbordamentos de júbilo.

Fui conduzido, então, por ela, a prodigioso bosque, onde **36.3** as flores eram dotadas de singular propriedade — a de reter a luz, revelando a festa permanente do perfume e da cor. Tapetes dourados e luminosos estendiam-se, dessa maneira, sob as grandes árvores sussurrantes ao vento. Minhas impressões de felicidade e paz eram inexcedíveis. O sonho não era propriamente qual se verifica na Terra. Eu sabia, perfeitamente, que deixara o veículo inferior no apartamento das Câmaras de Retificação, em Nosso Lar, e tinha absoluta consciência daquela movimentação em plano diverso. Minhas noções de espaço e tempo eram exatas. A riqueza de emoções, por sua vez, afirmava-se cada vez mais intensa. Após dirigir-me sagrados incentivos espirituais, minha mãe esclareceu bondosamente:

— Muito roguei a Jesus me permitisse a sublime satisfação de ter-te a meu lado, no teu primeiro dia de serviço útil. Como vês, meu filho, o trabalho é tônico divino para o coração. Numerosos companheiros nossos, após deixarem a Terra, demoram em atitudes contraproducentes, aguardando milagres que jamais se verificarão. Reduzem-se, desse modo, formosas capacidades a simples expressões parasitárias. Alguns se dizem desencorajados pela solidão; outros, como sucedia na Terra, declaram-se em desacordo com o meio a que foram chamados para servir ao Senhor. É indispensável, André, converter toda oportunidade da vida em motivo de atenção a Deus. Nos círculos inferiores, meu filho, o prato de sopa ao faminto, o bálsamo ao leproso,[11] o gesto de amor ao desiludido são serviços divinos que nunca ficarão deslembrados na Casa de Nosso Pai; aqui, igualmente, o olhar de compreensão ao culpado, a promessa evangélica aos que vivem

---

[11] N.E.: Na época em que esta obra foi escrita, esse termo era comum, mas atualmente é considerado pejorativo e/ou preconceituoso. Hanseníase, morfeia, mal de Hansen ou mal de Lázaro é uma doença infecciosa causada pela bactéria *Mycobacterium leprae* (também conhecida como bacilo de hansen) que afeta os nervos e a pele, podendo provocar danos severos.

no desespero, a esperança ao aflito constituem bênçãos de trabalho espiritual, que o Senhor observa e registra a nosso favor...

36.4   A fisionomia de minha genitora estava mais bela que nunca. Seus olhos de madona pareciam irradiar luminosidade sublime, suas mãos transmitiam-me, nos gestos de ternura, fluidos criadores de energias novas, a par de cariciosas emoções.

— O Evangelho de Jesus, meu André — continuou amorosamente —, lembra-nos que há maior alegria em dar que em receber. Aprendamos a concretizar semelhante princípio, no esforço diário a que formos conduzidos pela nossa própria felicidade. Dá sempre, filho meu. Sobretudo, jamais esqueças dar de ti mesmo, em tolerância construtiva, em amor fraternal e divina compreensão. A prática do bem exterior é um ensinamento e um apelo para que cheguemos à prática do bem interior. Jesus deu mais de si para o engrandecimento dos homens que todos os milionários da Terra congregados no serviço, sublime embora, da caridade material. Não te envergonhes de amparar os chaguentos e esclarecer os loucos que penetrem as Câmaras de Retificação, onde identifiquei, espiritualmente, teus serviços, à noite passada. Trabalha, meu filho, fazendo o bem. Em todas as nossas colônias espirituais, como nas esferas do globo, vivem almas inquietas, ansiosas de novidades e distração. Sempre que possas, porém, olvida o entretenimento e busca o serviço útil. Assim como eu, indigente como sou, posso ver, em espírito, teus esforços em Nosso Lar e seguir as mágoas de teu pai nas zonas umbralinas, Deus nos vê e acompanha a todos, desde o mais lúcido embaixador de sua bondade, aos últimos seres da Criação, muito abaixo dos vermes da Terra.

Minha mãe fez uma pausa, que desejei aproveitar para dizer alguma coisa, mas não pude. Lágrimas de emoção embargavam-me a voz. Ela endereçou-me carinhoso olhar, compreendendo a situação e continuou:

36.5 — Conhecemos, aqui, na maioria das colônias espirituais, a remuneração de serviço do bônus-hora. Nossa base de compensação une dois fatores essenciais. O bônus representa a possibilidade de receber alguma coisa de nossos irmãos em luta, ou de remunerar alguém que se encontre em nossas realizações, mas o critério quanto ao valor da hora pertence exclusivamente a Deus. Na bonificação exterior pode haver muitos erros de nossa personalidade falível, considerando nossa posição de criaturas em labores de evolução, como acontece na Terra, mas, no concernente ao conteúdo espiritual da hora, há correspondência direta entre o Servidor e as forças divinas da Criação. É por isso, André, que nossas atividades experimentais, no progresso comum, a partir da esfera carnal, sofrem contínuas modificações todos os dias. Tabelas, quadros e pagamentos são modalidades de experimentação dos administradores, a quem o Senhor concedeu a oportunidade de cooperar nas Obras divinas da vida, assim como concede à criatura o privilégio de ser pai ou mãe, por algum tempo, na Terra e noutros mundos. Todo administrador sincero é cioso dos serviços que lhe competem; todo pai consciente está cheio de amor desvelado. Deus também, meu filho, é administrador vigilante e pai devotadíssimo. A ninguém esquece e reserva-se o direito de entender-se com o trabalhador, quanto ao verdadeiro proveito no tempo de serviço. Toda compensação exterior afeta a personalidade em experiência, mas todo valor de tempo interessa à personalidade eterna, aquela que permanecerá sempre em nossos círculos de vida, em marcha para a glória de Deus. É por essa razão que o Altíssimo concede sabedoria ao que gasta tempo em aprender e dá mais vida e mais alegria aos que sabem renunciar!...

Minha mãe calou-se e eu enxugava os olhos. Foi então que ela me tomou nos braços, acariciando-me desveladamente. Qual o menino que adormece após a lição, perdi a consciência de mim mesmo, para despertar mais tarde nas Câmaras de Retificação, experimentando vigorosas sensações de alegria.

37
A preleção da ministra

No curso de trabalhos do dia imediato, grande era o meu interesse pela conferência da ministra Veneranda. Ciente de que necessitaria permissão, entendi-me com Tobias a respeito. 37.1

— Essas aulas — disse ele — são ouvidas somente pelos Espíritos sinceramente interessados. Os instrutores, aqui, não podem perder tempo. Fica você, desse modo, autorizado a comparecer com os ouvintes que se contam por centenas, entre servidores e abrigados dos Ministérios da Regeneração e do Auxílio.

Num gesto afetuoso de estímulo, rematou:

— Desejo-lhe excelente proveito.

Transcorreu o novo dia em serviço ativo. O contato de minha mãe, suas belas observações relativas à prática do bem enchiam-me o espírito de sublime conforto.

A princípio, logo após o despertar, aqueles esclarecimentos sobre o bônus-hora me haviam suscitado certas interrogações de vulto. Como poderia estar a compensação da hora afeta a Deus? Não era atribuição do administrador espiritual, ou humano, a contagem do tempo? Tobias, porém, esclarecera-me a inteligência faminta de luz. Aos administradores, em geral, impende a obrigação de contar o tempo de serviços, sendo justo, igualmente, instituírem elementos de respeito e consideração ao mérito do trabalhador, mas, quanto ao valor essencial do aproveitamento justo, só mesmo as Forças divinas podem determinar com exatidão. Há servidores que, depois de quarenta anos de atividade especial, dela se retiram com a mesma incipiência da primeira hora, provando que gastaram tempo sem empregar dedicação espiritual, assim como existem homens que, atingindo cem anos de existência, dela saem com a mesma ignorância da idade infantil. "Tanto é precioso o conceito de sua mamãe" — disse Tobias — "que basta lembrar as horas dos homens bons e dos maus. Nos primeiros, transformam-se em celeiros de bênçãos do Eterno; nos segundos, em látegos de tormento e remorso, como se fossem entes malditos. Cada filho acerta contas com o Pai, conforme o emprego da oportunidade, ou segundo suas obras".

37.2   Essa contribuição de esclarecimento auxiliou-me a ponderar o valor do tempo, em todos os sentidos.

Chegada a hora destinada à preleção da ministra, que se realizou após a oração vespertina, dirigi-me, em companhia de Narcisa e Salústio, para o grande salão em plena natureza.

Verdadeira maravilha o recinto verde, onde grandes bancos de relva nos acolheram confortadoramente. Flores variadas, brilhando à luz de belos candelabros, exalavam delicado perfume.

Calculei a assistência em mais de mil pessoas. Na disposição comum da grande assembleia, notei que vinte entidades se assentavam em local destacado entre nós outros e a eminência florida onde se via a poltrona da instrutora.

A uma pergunta minha, Narcisa explicou:

— Estamos na assembleia de ouvintes. Aqueles irmãos, que se conservam em lugar de realce, são os mais adiantados na matéria de hoje, companheiros que podem interpelar a ministra. Adquiriram esse direito pela aplicação ao assunto, condição que poderemos alcançar também, por nossa vez.

— Não pode você figurar entre eles? — indaguei.

37.3

— Não. Por enquanto, posso sentar-me ali somente nas noites em que a instrutora verse o tratamento dos Espíritos perturbados. Há, porém, irmãos que ali permanecem no trato de várias teses, conforme a cultura já adquirida.

— Muito curioso o processo — aduzi.

— O governador — prosseguiu a enfermeira explicando — determinou essa medida nas aulas e palestras de todos os ministros, a fim de que os trabalhos não se convertessem em desregramento da opinião pessoal, sem base justa, com grave perda de tempo para o conjunto. Quaisquer dúvidas, quaisquer pontos de vista, verdadeiramente úteis, poderão ser esclarecidos ou aproveitados, mas tendo em vista o momento adequado.

Mal acabara de falar e eis que a ministra Veneranda penetrou no recinto em companhia de duas senhoras de porte distinto, que Narcisa informou serem ministras da Comunicação.

Veneranda espalhou, com a simples presença, enorme alegria em todos os semblantes. Não mostrava a fisionomia de uma velha, o que contrastava com o nome; sim, o semblante de nobre senhora na idade madura, cheia de simplicidade, sem afetação.

Depois de palestrar ligeiramente com os vinte companheiros, como a informar-se das necessidades dominantes na assembleia, em geral, com relação ao tema da noite, começou por dizer:

— Como sempre, não posso aproveitar a nossa reunião para discursos de longa tiragem verbal, mas aqui estou para conversar com vocês, relacionando algumas observações sobre o pensamento.

"Encontram-se, entre nós, no momento, algumas centenas de ouvintes que se surpreendem com a nossa esfera cheia de formas análogas às do planeta. Não haviam aprendido que o pensamento é a linguagem universal? Não foram informados de que a criação mental é quase tudo em nossa vida? São numerosos os irmãos que formulam semelhantes perguntas. Todavia, encontraram aqui a habitação, o utensílio e a linguagem terrestres. Esta realidade, contudo, não deve causar surpresa a ninguém. Não podemos esquecer que temos vivido, até agora (referindo-nos à existência humana), em velhos círculos de antagonismo vibratório. O pensamento é a base das relações espirituais dos seres entre si, mas não olvidemos que somos milhões de almas dentro do universo, algo insubmissas ainda às leis universais. Não somos, por enquanto, comparáveis aos irmãos mais velhos e mais sábios, próximos do Divino, mas milhões de entidades a viverem nos caprichosos 'mundos inferiores' do nosso 'eu'. Os grandes instrutores da humanidade carnal ensinam princípios divinos, expõem verdades eternas e profundas, nos círculos do globo. Em geral, porém, nas atividades terrenas, recebemos notícias dessas leis sem nos submetermos a elas, e tomamos conhecimento dessas verdades sem lhes consagrarmos nossas vidas.

37.4   "Será crível que, somente por admitir o poder do pensamento, ficasse o homem liberto de toda a condição inferior? Impossível!

"Uma existência secular, na carne terrestre, representa período demasiadamente curto para aspirarmos à posição de cooperadores essencialmente divinos. Informamo-nos a respeito da força mental no aprendizado mundano, mas esquecemos que toda a nossa energia, nesse particular, tem sido empregada por nós, em milênios sucessivos, nas criações mentais destrutivas ou prejudiciais a nós mesmos.

"Somos admitidos aos cursos de espiritualização nas diversas escolas religiosas do mundo, mas com frequência agimos exclusivamente no terreno das afirmativas verbais. Ninguém, todavia, atenderá ao dever apenas com palavras. Ensina a *Bíblia* que o próprio Senhor da Vida não estacionou no verbo e continuou o trabalho criativo na ação.

"Todos sabemos que o pensamento é força essencial, mas não admitimos nossa milenária viciação no desvio dessa força. **37.5**

"Ora, é coisa sabida que um homem é obrigado a alimentar os próprios filhos; nas mesmas condições, cada espírito é compelido a manter e nutrir as criações que lhe são peculiares. Uma ideia criminosa produzirá gerações mentais da mesma natureza; um princípio elevado obedecerá à mesma lei. Recorramos a símbolo mais simples. Após elevar-se às alturas, a água volta purificada, veiculando vigorosos fluidos vitais, no orvalho protetor ou na chuva benéfica; conservemo-la com os detritos da terra e fá-la-emos habitação de micróbios destruidores.

"O pensamento é força viva, em toda parte; é atmosfera criadora que envolve o Pai e os filhos, a causa e os efeitos, no Lar universal. Nele, transformam-se homens em anjos, a caminho do Céu, ou se fazem gênios diabólicos, a caminho do inferno.

"Apreendem vocês a importância disso? Certo, nas mentes evoluídas, entre os desencarnados e encarnados, basta o intercâmbio mental sem necessidade das formas, e é justo destacar que o pensamento em si é a base de todas as mensagens silenciosas da ideia, nos maravilhosos planos da intuição, entre os seres de toda espécie. Dentro desse princípio, o Espírito que haja vivido exclusivamente em França poderá comunicar-se no Brasil, pensamento a pensamento, prescindindo de forma verbalista especial, que, nesse caso, será sempre a do receptor, mas isso também exige a afinidade pura. Não estamos, porém, nas esferas de absoluta pureza mental, onde todas as criaturas têm afinidades entre si. Afinamo-nos uns com os outros, em núcleos insulados, e somos compelidos a prosseguir nas construções transitórias da Terra, a fim de regressar aos círculos planetários com maior bagagem evolutiva.

37.6   "Nosso Lar, portanto, como cidade espiritual de transição, é uma bênção a nós concedida por 'acréscimo de misericórdia', para que alguns poucos se preparem à ascensão, e para que a maioria volte à Terra em serviços redentores. Compreendamos a grandiosidade das leis do pensamento e submetamo-nos a elas, desde hoje."

Depois de longa pausa, a ministra sorriu para o auditório e perguntou:

— Quem deseja aproveitar?

Logo após, suave música encheu o recinto de cariciosas melodias.

Veneranda conversou ainda por muito tempo, revelando amor e compreensão, delicadeza e sabedoria.

Sem qualquer solenidade nos gestos para evidenciar o término da conversação, findou a palestra com uma pergunta graciosa.

Quando vi os companheiros levantarem-se para as despedidas, ao som da música habitual, indaguei de Narcisa, surpreendido:

— Que é isso? Acabou a reunião?

A enfermeira bondosa esclareceu sorridente:

— A ministra Veneranda é sempre assim. Finaliza a conversação em meio ao nosso maior interesse. Ela costuma afirmar que as preleções evangélicas começaram com Jesus, mas ninguém pode saber quando e como terminarão.

38
O caso Tobias

No terceiro dia de trabalho, alegrou-me Tobias com agradável **38.1** surpresa. Findo o serviço, ao entardecer, uma vez que outros se incumbiram da assistência noturna, fui fraternalmente levado à residência dele, onde me aguardavam belos momentos de alegria e aprendizado.

Logo de entrada, apresentou-me duas senhoras, uma já idosa e outra bordejando a madureza. Esclareceu que esta era sua esposa e aquela, irmã. Luciana e Hilda, afáveis e delicadas, primaram em gentilezas.

Reunidos na formosa biblioteca de Tobias, examinamos volumes maravilhosos na encadernação e no conteúdo espiritual.

A senhora Hilda convidou-me a visitar o jardim, para que pudesse observar, de perto, alguns caramanchões de caprichosos formatos. Cada casa, em Nosso Lar, parecia especializar-se na cultura de determinadas flores. Em casa de Lísias, as glicínias e os lírios contavam-se por centenas; na residência de Tobias, as hortênsias inumeráveis desabrochavam nos verdes lençóis de violetas. Belos caramanchões de árvores delicadas, recordando o bambu ainda novo, apresentavam no alto uma trepadeira interessante, cuja especialidade é unir frondes diversas, à guisa de enormes laços floridos, na verde cabeleira das árvores, formando gracioso teto.

38.2   Não sabia traduzir minha admiração. Embalsamava-se a atmosfera de inebriante perfume. Comentávamos a beleza da paisagem geral, vista daquele ângulo do Ministério da Regeneração, quando Luciana nos chamou ao interior, para leve refeição.

Encantado com o ambiente simples, cheio de notas de fraternidade sincera, não sabia como agradecer ao generoso anfitrião.

A certa altura da palestra amável, Tobias acrescentou, sorridente:

— O meu amigo, a bem dizer, é ainda novato em nosso Ministério e talvez desconheça o meu caso familiar.

Sorriam ao mesmo tempo as duas senhoras; e, observando-me a silenciosa interpelação, o dono da casa continuou:

— Aliás, temos numerosos núcleos nas mesmas condições. Imagine que fui casado duas vezes...

E, indicando as companheiras de sala, prosseguiu num gesto de bom humor:

— Creio nada precisar esclarecer quanto às esposas.

— Ah! sim — murmurei extremamente confundido —, quer dizer que as senhoras Hilda e Luciana compartilharam das suas experiências na Terra...

— Isso mesmo — respondeu tranquilo.

Nesse ínterim, a senhora Hilda tomou a palavra, dirigindo-se a mim:

— Desculpe o nosso Tobias, irmão André. Ele está sempre disposto a falar do passado quando nos encontramos com alguma visita de recém-chegados da Terra.

— Pois não será motivo de júbilo — aduziu Tobias bem-humorado —, vencer o monstro do ciúme inferior, conquistando, pelo menos, alguma expressão de fraternidade real?

— De fato — objetei —, o problema interessa profunda- 38.3
mente a todos nós. Há milhões de pessoas, nos círculos do planeta, em estado de segundas núpcias. Como resolver tão alta questão afetiva, considerando a espiritualidade eterna? Sabemos que a morte do corpo apenas transforma sem destruir. Os laços da alma prosseguem pelo Infinito. Como proceder? Condenar o homem ou a mulher que se casaram mais de uma vez? Encontraríamos, porém, milhões de criaturas nessas condições. Muitas vezes já lembrei, com interesse, a passagem evangélica em que o Mestre nos promete a vida dos anjos, quando se referiu ao casamento na Eternidade.

— Forçoso é reconhecer, todavia, com toda a nossa veneração ao Senhor — atalhou o anfitrião, bondoso —, que ainda não nos achamos na esfera dos anjos, e sim dos homens desencarnados.

— Mas como solucionar aqui semelhante situação? — perguntei.

Tobias sorriu e considerou:

— Muito simplesmente. Reconhecemos que entre o irracional e o homem há uma série enorme e gradativa de posições. Assim, também, entre nós outros, o caminho até o anjo representa imensa distância a percorrer. Ora, como podemos aspirar à companhia de seres angélicos se ainda não somos nem mesmo fraternos uns com os outros? Claro que existem caminheiros de ânimo forte, que se revelam superiores a todos os obstáculos da senda, por supremo esforço da vontade, mas a maioria não prescinde de pontes ou do socorro de guardiães caridosos. Em vista dessa verdade, os casos dessa natureza são resolvidos nos alicerces da fraternidade legítima, reconhecendo-se que o verdadeiro casamento é de almas e essa união ninguém poderá quebrantar.

Nesse instante, Luciana, que se mantinha silenciosa, interveio, acrescentando:

— Convém explicar, todavia, que tudo isso, felicidade e compreensão, devemos ao espírito de amor e renúncia de nossa Hilda.

38.4	A senhora Tobias, no entanto, demonstrando humildade digna, acentuou:

— Calem-se. Nada de qualidades que não possuo. Buscarei sumariar nossa história, a fim de que nosso hóspede conheça meu doloroso aprendizado.

E continuou, depois de fixar um gesto de narradora amável:

— Tobias e eu nos casamos na Terra, quando ainda muito jovens, em obediência a sagradas afinidades espirituais. Creio desnecessário descrever a felicidade de duas almas que se unem e se amam verdadeiramente no matrimônio. A morte, porém, que parecia enciumada de nossa ventura, subtraiu-me do mundo, por ocasião do nascimento do segundo filhinho. Nosso tormento foi, então, indescritível. Tobias chorava sem remédio, ao passo que eu me via sem forças para sufocar a própria angústia. Pesados dias de Umbral abateram-se sobre mim. Não tive remédio senão continuar agarrada ao marido e ao casal de filhinhos, surda a todo esclarecimento que os amigos espirituais me enviavam por intuição.

"Queria lutar, como a galinha ao lado dos pintainhos. Reconhecia que o esposo necessitava reorganizar o ambiente doméstico, que os pequeninos reclamavam assistência maternal. Tornava-se a situação francamente insuportável. Minha cunhada solteira não tolerava as crianças, e a cozinheira apenas fingia dedicação. Duas amas jovens pautavam toda a conduta pessoal pela insensatez. Não pôde Tobias adiar a solução justa e, decorrido um ano da nova situação, desposou Luciana, contrariando meus caprichos. Ah! se soubesse como me revoltei! Semelhava-me a uma loba ferida. Minha ignorância deu até para lutar com a pobrezinha, tentando aniquilá-la. Foi aí que Jesus me concedeu a visita providencial de minha avó materna, desencarnada havia muitos anos. Chegou ela como quem nada desejava, enchendo-me de surpresa, sentou-se a meu lado, pôs-me em seguida ao colo, como noutro tempo, e perguntou-me lacrimosa: 'Que é isso, minha neta? Que papel é o seu na vida? Você é leoa ou alma consciente de Deus? Pois nossa irmã Luciana serve de mãe a seus filhos, funciona como criada de sua casa, é jardineira do seu jardim, suporta a bílis do seu marido e não pode assumir o lugar provisório de companheira de lutas, ao lado dele? É assim que o seu coração agradece os benefícios divinos e remunera aqueles que o servem? Quer você uma escrava e despreza uma irmã? Hilda! Hilda! Onde está a religião do Crucificado que você aprendeu? Ó minha pobre neta, minha pobre!...' Abracei-me, então, em lágrimas, com a velhinha santa e abandonei o antigo ambiente doméstico, vindo em companhia dela para os serviços de Nosso Lar. Desde essa época, tive em Luciana mais uma filha. Trabalhei, então, intensamente. Consagrei-me ao estudo sério, ao melhoramento moral de mim mesma, busquei ajudar a todos, sem distinção, em nosso antigo lar terrestre. Constituiu Tobias uma família nova, que passou a me pertencer, igualmente, pelos sagrados laços espirituais. Mais tarde, voltou ele, reunindo-se a mim, acompanhado de Luciana, que veio também ter conosco para nossa completa alegria. E aí tem, meu amigo, a nossa história..."

Luciana, contudo, tomou a palavra e observou:

— Não disse ela, porém, quanto se tem sacrificado, ensinando-me com exemplos.

— Que dizes, filha? — perguntou a senhora Tobias, acariciando-lhe a destra.

Luciana sorriu e ajuntou:

— Mas, graças a Jesus e a ela, aprendi que há casamento de amor, de fraternidade, de provação, de dever, e, no dia em que Hilda me beijou, perdoando-me, senti que meu coração se libertara desse monstro que é o ciúme inferior. O matrimônio espiritual realiza-se alma com alma, representando os demais simples conciliações indispensáveis à solução de necessidades ou processos retificadores, embora todos sejam sagrados.

— E assim construímos nosso novo lar, na base da fraternidade legítima — acrescentou o dono da casa.

Aproveitando o ligeiro silêncio que se fizera, indaguei:

— Mas como se processa o casamento aqui?

— Pela combinação vibratória — esclareceu Tobias, atencioso — ou, então, para ser mais explícito, pela afinidade máxima ou completa.

Incapaz de sopitar a curiosidade, esqueci a lição de bom-tom e interroguei:

— Mas qual a posição de nossa irmã Luciana neste caso?

Antes, porém, que os cônjuges espirituais respondessem, foi a própria interessada que explicou:

— Quando desposei Tobias, viúvo, já devia estar certa de que, com todas as probabilidades, meu casamento seria uma união fraternal, acima de tudo. Foi o que me custou a compreender. Aliás, é lógico que, se os consortes padecem inquietação, desentendimento, tristeza, estão unidos fisicamente, mas não integrados no matrimônio espiritual.

Queria perguntar mais alguma coisa; entretanto, não encontrava palavras que revelassem ausência de impertinente indiscrição. A senhora Hilda, contudo, compreendeu-me o pensamento e explicou:

— Fique tranquilo. Luciana está em pleno noivado espiritual. Seu nobre companheiro de muitas etapas terrenas precedeu-a há alguns anos, regressando ao círculo carnal. No ano próximo, ela seguirá igualmente ao seu encontro. Creio que o momento feliz será em São Paulo.

Sorrimos todos alegremente.

Nesse instante, Tobias foi chamado às pressas para atender a um caso grave nas Câmaras de Retificação.

Era preciso, desse modo, encerrar a palestra.

39
Ouvindo a senhora Laura

O caso Tobias impressionara-me profundamente.   **39.1**
Aquela casa, alicerçada em princípios novos de união fraterna, preocupava-me como assunto obsidente. Afinal de contas, também ainda me sentia senhor do lar terrestre e avaliava quão difícil para mim próprio seria semelhante situação. Teria coragem de proceder como Tobias, imitando-lhe a conduta? Admitia que não. A meu ver, não seria capaz de aborrecer tanto a minha querida Zélia e jamais aceitaria tal imposição por parte de minha esposa.

Aquelas observações da casa de Tobias torturavam-me o cérebro. Não conseguia encontrar esclarecimentos justos que pudessem satisfazer-me.

Tão preocupado me senti que, no dia imediato, deliberei visitar Lísias, num momento de folga, ansioso de explicações da senhora Laura, a quem votava confiança filial.

Recebido com enormes demonstrações de alegria, esperei o momento propício em que pudesse ouvir a mãezinha de Lísias com calma e serenidade.

39.2   Depois de se ausentarem os jovens, a caminho de entretenimentos habituais, expus à generosa amiga o problema que me apoquentava, não sem natural acanhamento.

Ela sorriu, com a grande experiência da vida, e começou a dizer:

— Você fez bem em trazer a questão ao nosso estudo recíproco. Todo problema que torture a alma pede cooperação amiga para ser resolvido.

E, depois de ligeira pausa, prosseguiu, atenciosa:

— O caso Tobias é apenas um dos inumeráveis que conhecemos aqui e noutros núcleos espirituais, que se caracterizam pelo pensamento elevado.

— Mas choca-nos o sentimento, não é verdade? — atalhei com interesse.

— Quando nos atemos aos pontos de vista propriamente humanos, essas coisas dão até para escandalizar; entretanto, meu amigo, é necessário, agora, sobrepormos a tudo os princípios de natureza espiritual. Nesse sentido, André, precisamos compreender o espírito de sequência que rege os quadros evolutivos da vida. Se atravessamos longa escala de animalidade, é justo que essa animalidade não desapareça de um dia para outro. Empregamos muitos séculos para emergir das camadas inferiores. O sexo integra o patrimônio de faculdades divinas, que demoramos a compreender. Não será fácil para você, presentemente, a penetração, no sentido elevado, da organização doméstica que visitou ontem; entretanto, a felicidade, ali, é muito grande, pela atmosfera de compreensão que se criou entre as personagens do drama terrestre. Nem todos conseguem substituir cadeias de sombra por laços de luz em tão pouco tempo.

— Mas temos nisso uma regra geral? — indaguei. — Todo homem e toda mulher que se tenham casado mais de uma vez restabelecem aqui o núcleo doméstico, fazendo-se acompanhar de todas as afeições que hajam conhecido?

Esboçando um gesto de grande paciência, a interlocutora explicou: 39.3

— Não seja tão radicalista. É indispensável seguir devagar. Muita gente pode ter afeição e não ter compreensão. Não esqueça que nossas construções vibratórias são muito mais importantes que as da Terra. O caso Tobias é o caso de vitória da fraternidade real, por parte das três almas interessadas na aquisição de justo entendimento. Quem não se adaptar à lei de fraternidade e compreensão, logicamente, não atravessará essas fronteiras. As regiões obscuras do Umbral estão cheias de entidades que não resistiram a semelhantes provas. Enquanto odiarem, serão ímãs desequilibrados; enquanto não entenderem a verdade, sofrerão o império da mentira e, consequentemente, não poderão penetrar as zonas de atividade superior. São incontáveis as criaturas que padecem longos anos, sem qualquer alívio espiritual, simplesmente porque se esquivam à fraternidade legítima.

— E que acontece, então? — interroguei, valendo-me da pausa da interlocutora. — Se não são admitidas aos núcleos espirituais de aprendizado nobre, onde se localizarão as pobres almas em experiências dessa ordem?

— Depois de padecimentos verdadeiramente infernais, pelas criações inferiores que inventam para si mesmas — redarguiu a mãe de Lísias —, vão fazer na experiência carnal o que não conseguiram realizar em ambiente estranho ao corpo terrestre. Concede-lhes a Bondade divina o esquecimento do passado, na organização física do planeta, e vão receber, nos laços da consanguinidade, aqueles de quem se afastaram deliberadamente pelo veneno do ódio ou da incompreensão. Daí se infere a oportunidade, cada vez mais viva, da recomendação de Jesus, quando nos aconselha imediata reconciliação com os adversários. O alvitre, antes de tudo, interessa a nós mesmos. Devemos observá-lo em proveito próprio. Quem sabe valer-se do tempo, finda a experiência terrena, ainda que precise voltar aos círculos da carne, pode efetuar sublimes construções espirituais com relação à paz da consciência, regressando à matéria grosseira, suportando menor bagagem de preocupações. Há muitos Espíritos que gastam séculos tentando desfazer animosidades e antipatias na existência terrestre e refazendo-as após a desencarnação. O problema do perdão, com Jesus, meu caro André, é problema sério. Não se resolve em conversas. Perdoar verbalmente é questão de palavras, mas aquele que perdoa realmente precisa mover e remover pesados fardos de outras eras, dentro de si mesmo.

39.4   A essa altura, a senhora Laura silenciou, como quem precisava meditar na amplitude dos conceitos expendidos. Aproveitando o ensejo, aduzi:

— A experiência do casamento é muito sagrada aos meus olhos.

A interlocutora não se surpreendeu com a afirmativa e obtemperou:

— Aos Espíritos ainda em simples experiência animal, nossa conversação não interessa, mas, para nós, que compreendemos a necessidade da iluminação com o Cristo, é imprescindível destacar não só a experiência do casamento, mas toda experiência de sexo, por afetar profundamente a vida da alma.

Ouvindo a observação, não deixei de corar, lembrando o meu passado de homem comum. Minha mulher fora para mim um objeto sagrado, que eu sobrepunha a todas as afeições; no entanto, ao ouvir a mãe de Lísias, ocorriam-me à mente as palavras antigas do Velho Testamento: "não cobiçarás a casa do teu próximo, não cobiçarás a mulher do teu próximo, nem o seu servo, nem a sua serva, nem o seu jumento, nem o seu boi, nem coisa alguma que lhe pertença". Num instante, senti-me incapaz de prosseguir, estranhando o caso

Tobias. A interlocutora, porém, percebeu minha perturbação íntima e continuou:

— Onde o esforço de consertar é tarefa de quase todos, deve haver lugar para muita compreensão e muito respeito à Misericórdia divina, que nos oferece tantos caminhos a retificações justas. Toda experiência sexual da criatura que já recebeu alguma luz do espírito é acontecimento de enorme importância para si mesma. É por isso que o entendimento fraterno precede a qualquer trabalho verdadeiramente salvacionista. Ainda há pouco tempo ouvi um grande instrutor no Ministério da Elevação assegurar que, se pudesse, iria materializar-se nos planos carnais, a fim de dizer aos religiosos, em geral, que toda caridade, para ser divina, precisa apoiar-se na fraternidade. **39.5**

Nessa altura, a dona da casa convidou-me a visitar Eloísa, ainda recolhida ao interior doméstico, dando a entender que não desejava explanar outras minudências sobre o assunto; e, depois de verificar as melhoras crescentes da jovem recém-chegada do planeta, voltei às Câmaras de Retificação, mergulhado em profundas cogitações.

Agora não mais me preocupava a situação de Tobias, nem as atitudes de Hilda e Luciana. Impressionava-me, sim, a imponente questão da fraternidade humana.

40
Quem semeia colherá

Eu não sabia explicar a grande atração pela visita ao departamento feminino das Câmaras de Retificação. Falei a Narcisa do meu desejo, prontificando-se ela a satisfazer-me.   **40.1**

— Quando o Pai nos convoca a determinado lugar — disse, bondosa —, é que lá nos aguarda alguma tarefa. Cada situação, na vida, tem finalidade definida... Não deixe de observar este princípio em suas visitas aparentemente casuais. Desde que nossos pensamentos visem à prática do bem, não será difícil identificar as sugestões divinas.

No mesmo dia, a enfermeira acompanhou-me, à procura de Nemésia, prestigiosa cooperadora naquele setor de serviço.

Não foi difícil encontrá-la.

Filas de leitos muitos alvos e bem cuidados exibiam mulheres que mais se assemelhavam a frangalhos humanos. Aqui e ali, gemidos lancinantes; acolá, angustiosas exclamações. Nemésia, que se caracterizava pela mesma generosidade de Narcisa, falou com bondade:

40.2 — O amigo deve estar agora habituado a estes cenários. No departamento masculino a situação é quase a mesma.

E, fazendo um gesto significativo à companheira, acentuou:

— Narcisa, faça o obséquio de acompanhar nosso irmão e mostrar os serviços que julgar convenientes ao aprendizado dele. Fiquem à vontade.

Minha amiga e eu comentávamos a vaidade humana, sempre atida aos prazeres físicos, enumerando observações e ensinamentos, quando atingimos o Pavilhão 7. Localizavam-se ali algumas dezenas de mulheres, em leitos separados, um a um, a regular distância.

Estudava eu a fisionomia das enfermas, quando fixei alguém que me despertou mais viva atenção. Quem seria aquela mulher amargurada, de aparência original? Velhice que parecia prematura tipificava-lhe o semblante, em cujos lábios pairava um ricto, misto de ironia e resignação. Os olhos, embaciados e tristes, mostravam-se defeituosos. Memória inquieta, coração oprimido, em poucos instantes localizei-a no passado. Era Elisa. Aquela mesma Elisa que conhecera nos tempos de rapaz. Estava modificada pelo sofrimento, mas não podia ter quaisquer dúvidas. Lembrei, perfeitamente, o dia em que ela, humilde, penetrara em nossa casa levada por velha amiga de minha mãe, que aceitou as recomendações trazidas, admitindo-a para os serviços domésticos. A princípio, o ritmo comum, nada de extraordinário; depois, a intimidade excessiva, de quem abusa da faculdade de mandar e da condição de servir alguém. Elisa pareceu-me bastante leviana, e, quando a sós comigo, comentava sem escrúpulo certas aventuras da sua mocidade, agravando com isso a irreflexão de nossos pensamentos. Recordei o dia em que minha genitora me chamou a conselhos justos. Aquela intimidade, dizia, não ficava bem. Era razoável que dispensássemos à serva generosidade afetuosa, mas convinha pautar nossas relações com sadio critério. Entretanto, estouvadamente, levara eu muito longe a nossa camaradagem.

Sob enorme angústia moral, abandonou Elisa, mais tarde, a nossa casa, sem coragem de me lançar em rosto qualquer acusação. E o tempo passou, reduzindo o fato, em meu pensamento, a episódio fortuito da existência humana. No entanto, o episódio, como alguma coisa da vida, estava também vivo. À minha frente tinha Elisa, agora, vencida e humilhada! Por onde vivera a mísera criatura, tão cedo atirada a doloroso capítulo de sofrimentos? Donde vinha? Ah!... naquele caso, não me defrontava o Silveira, perto de quem pudera repartir o débito com meu pai. A dívida, agora, era inteiramente minha. Cheguei a tremer, envergonhado da exumação daquelas reminiscências, mas, qual criança ansiosa de perdão pelas faltas cometidas, dirigi-me a Narcisa, pedindo orientação. Eu mesmo me admirava da confiança que aquelas santas mulheres me inspiravam. Talvez nunca tivesse coragem de pedir ao ministro Clarêncio as elucidações que pedira à mãe de Lísias e, possivelmente, outra seria minha conduta, naquele instante, se tivesse Tobias a meu lado. Considerando que a mulher generosa e cristã é sempre mãe, voltei-me para a enfermeira, confiando mais que nunca. Narcisa, pelo olhar que me endereçou, parecia tudo compreender. Comecei a falar, contendo o pranto, mas, a certa altura da confissão penosa, minha amiga obtemperou:

— Não precisa continuar. Adivinho o epílogo da história. Não se entregue a pensamentos destrutivos. Conheço o seu martírio moral, de experiência própria. Entretanto, se o Senhor permitiu que reencontrasse agora esta irmã, é que já o considera em condições de resgatar a dívida.

40.3

Vendo a minha indecisão, prosseguiu:

— Não tema. Aproxime-se dela e reconforte-a. Todos nós, meu irmão, encontramos no caminho os frutos do bem ou do mal que semeamos. Esta afirmativa não é frase doutrinária, é realidade universal. Tenho colhido muito proveito de situações iguais a esta. Bem-aventurados os devedores em condições de pagar.

40.4   E, percebendo-me a resolução firme de empreender o necessário ajuste de contas, acentuou:

— Vamos, mas não se dê a conhecer por enquanto. Faça-o, depois de beneficiá-la com êxito. Isso não será difícil, pelo fato de continuar ela em cegueira quase completa, temporariamente. Pelas forças que a envolvem, noto-lhe a triste característica das mães fracassadas e das mulheres de ninguém.

Aproximamo-nos. Tomei a iniciativa da palavra confortadora. Elisa identificou-se, dando o próprio nome e prestando, de boa vontade, outras informações. Havia três meses que fora recolhida às Câmaras de Retificação. Interessado em castigar a mim mesmo, diante de Narcisa, para que a lição me penetrasse na alma com caracteres indeléveis, perguntei:

— E sua história, Elisa? Deve ter sofrido muito...

Sentindo a inflexão afetuosa da pergunta, sorriu, muito resignada, e desabafou:

— Para que lembrar coisas tão tristes?

— As experiências dolorosas ensinam sempre — objetei.

A infeliz, que apresentava profunda modificação moral, meditou alguns momentos, como quem concatenava ideias, e falou:

— Minha experiência foi a de todas as mulheres doidivanas que trocam o pão bendito do trabalho pelo fel venenoso da ilusão. Nos tempos da mocidade distante, como filha de um lar paupérrimo, vali-me do emprego em casa de abastado comerciante, onde a vida me impôs imensa transformação. Esse negociante tinha um filho, tão jovem quanto eu, e depois da intimidade estabelecida entre nós, quando toda a reação de minha parte seria inútil, esqueci criminosamente que Deus reserva o trabalho a todos que amem a vida sã, por mais faltosos que tenham sido, e entreguei-me a experiências dolorosas, que não preciso comentar. Conheci, de perto, o prazer, o luxo, o conforto material e, em seguida, o horror de mim mesma, a sífilis, o hospital, o abandono de todos, as tremendas desilusões que culminaram na cegueira e na morte do corpo. Errei, muito tempo, em terrível desespero, mas, um dia, tanto roguei o amparo da Virgem de Nazaré que mensageiros do bem me recolheram por amor ao seu nome, trazendo-me a esta casa de abençoada consolação.

Comovidíssimo até às lágrimas, perguntei: **40.5**

— E ele? Como se chama o homem que a fez tão infeliz?

Ouvia-a, então, pronunciar meu nome e de meus pais.

— E você o odeia? — indaguei acabrunhado.

Ela sorriu tristemente e respondeu:

— No período do meu sofrimento anterior, amaldiçoava-lhe a lembrança, nutrindo por ele um ódio mortal, mas a irmã Nemésia modificou-me. Para odiá-lo, tenho de odiar a mim mesma. No meu caso, a culpa deve ser repartida. Não devo, pois, recriminar ninguém.

Aquela humildade sensibilizou-me. Tomei-lhe a destra sobre a qual, sem que o pudesse evitar, rolou uma lágrima de arrependimento e remorso.

— Ouça, minha amiga — falei com emoção forte —, também eu me chamo André e preciso ajudá-la. Conte comigo, doravante.

— E sua voz — disse Elisa, ingenuamente — parece a dele.

— Pois bem — continuei, comovido —, até agora, não tenho propriamente uma família em Nosso Lar. Mas você será aqui minha irmã do coração. Conte com o meu devotamento de amigo.

No semblante da sofredora, um grande sorriso parecia uma grande luz.

— Como lhe sou grata! — disse ela, enxugando as lágrimas.

— Há quantos anos ninguém me fala assim, nesse tom familiar, dando-me o consolo da amizade sincera!... Que Jesus o abençoe.

Nesse instante, quando minhas lágrimas se fizeram mais abundantes, Narcisa tomou-me as mãos, maternalmente, e repetiu:

— Que Jesus o abençoe.

41
Convocados à luta

Nos primeiros dias de setembro de 1939, Nosso Lar sofreu, igualmente, o choque por que passaram diversas colônias espirituais ligadas à civilização americana. Era a guerra europeia, tão destruidora nos círculos da carne, quão perturbadora no plano do espírito. Entidades numerosas comentavam os empreendimentos bélicos em perspectiva, sem disfarçarem o imenso terror de que se possuíam.   **41.1**

Sabia-se, desde muito, que as Grandes Fraternidades do Oriente suportavam as vibrações antagônicas da nação japonesa, experimentando dificuldades de vulto. Anotavam-se, porém, agora, fatos curiosos de alto padrão educativo. Assim como os nobres círculos espirituais da velha Ásia lutavam em silêncio, preparava-se Nosso Lar para o mesmo gênero de serviço. Além de valiosas recomendações, no campo da fraternidade e da simpatia, determinou o governador tivéssemos cuidado na esfera do pensamento, preservando-nos de qualquer inclinação menos digna, de ordem sentimental.

41.2   Reconheci que os Espíritos superiores, nessas circunstâncias, passam a considerar as nações agressoras não como inimigas, mas como desordeiras e cuja atividade criminosa é imprescindível reprimir.

— Infelizes dos povos que se embriaguem com o vinho do mal — disse-me Salústio —; ainda que consigam vitórias temporárias, elas servirão somente para lhes agravar a ruína, acentuando-lhes as derrotas fatais. Quando um país toma a iniciativa da guerra, encabeça a desordem da Casa do Pai e pagará um preço terrível.

Observei, então, que as zonas superiores da vida se voltam em defesa justa, contra os empreendimentos da ignorância e da sombra, congregados para a anarquia e, consequentemente, para a destruição. Esclareceram-me os colegas de trabalho que, nos acontecimentos dessa natureza, os países agressores convertem-se, naturalmente, em núcleos poderosos de centralização das forças do mal. Sem se precatarem dos perigos imensos, esses povos, com exceção dos Espíritos nobres e sábios que lhes integram os quadros de serviço, embriagam-se ao contato dos elementos de perversão, que invocam das camadas sombrias. Coletividades operosas convertem-se em autômatos do crime. Legiões infernais precipitam-se sobre grandes oficinas do progresso comum, transformando-as em campos de perversidade e horror. Mas, enquanto os bandos escuros se apoderam da mente dos agressores, os agrupamentos espirituais da vida nobre movimentam-se em auxílio dos agredidos.

Se devemos lastimar a criatura em oposição à lei do bem, com mais propriedade devemos lamentar o povo que olvidou a justiça.

Logo após os primeiros dias que assinalaram as primeiras bombas na terra polonesa, encontrava-me, ao entardecer, nas Câmaras de Retificação, junto de Tobias e Narcisa, quando inesquecível clarim se fez ouvir por mais de um quarto de hora. Profunda emoção nos invadira a todos.

— É a convocação superior aos serviços de socorro à Terra — explicou-me Narcisa, bondosamente. 41.3

— Temos o sinal de que a guerra prosseguirá, com terríveis tormentos para o espírito humano — exclamou Tobias, inquieto. — Apesar da distância, toda a vida psíquica americana teve na Europa a sua origem. Teremos grande trabalho em preservar o Novo Mundo.

A clarinada fazia-se ouvir com modulações estranhas e imponentes. Notei que profundo silêncio caiu sobre todo o Ministério da Regeneração.

Atento à minha atitude de angustiosa expectativa, Tobias informou:

— Quando soa o clarim de alerta, em nome do Senhor, precisamos fazer calar os ruídos de baixo, para que o apelo se grave em nossos corações.

Quando o misterioso instrumento desferiu a última nota, fomos ao grande parque, a fim de observar o céu. Profundamente comovido, vi inúmeros pontos luminosos, parecendo pequenos focos resplandecentes e longínquos, a librarem-se no firmamento.

— Esse clarim — disse Tobias igualmente emocionado — é utilizado por Espíritos vigilantes, de elevada expressão hierárquica.

Regressando ao interior das Câmaras, tive a atenção atraída para enormes rumores provenientes das zonas mais altas da colônia, onde se localizavam as vias públicas.

Tobias confiou a Narcisa certas atividades de importância junto aos enfermos e convidou-me a sair para observar o movimento popular.

Chegados aos pavimentos superiores, de onde nos poderíamos encaminhar à Praça da Governadoria, notamos intenso movimento em todos os setores. Identificando-me o espanto natural, o companheiro explicou:

41.4 — Estes grupos enormes dirigem-se ao Ministério da Comunicação, à procura de notícias. O clarim que acaba de soar só vem até nós em circunstâncias muito graves. Todos sabemos que se trata da guerra, mas é possível que a Comunicação nos forneça algum detalhe essencial. Observe os transeuntes.

Ao nosso lado, vinham dois senhores e quatro senhoras, em conversação animada.

— Imagine — dizia uma — o que será de nós no Auxílio. Há muitos meses consecutivos, o movimento de súplicas tem sido extraordinário. Experimentamos justa dificuldade para atender a todos os deveres.

— E nós, com a Regeneração? — objetava o cavalheiro mais idoso. — Os serviços prosseguem consideravelmente aumentados. No meu setor, a vigilância contra as vibrações umbralinas reclama esforços incessantes. Estou avaliando o que virá sobre nós...

Tobias segurou-me o braço, de leve, e exclamou:

— Adiantemo-nos um pouco. Ouçamos o que dizem outros grupos.

Aproximando-nos de dois homens, ouvi um deles perguntando:

— Será crível que a calamidade nos atinja a todos?

O interpelado, que parecia portador de grande equilíbrio espiritual, replicou sereno:

— De qualquer modo, não vejo motivo para precipitações. A única novidade é o acréscimo de serviço que, no fundo, constituirá uma bênção. Quanto ao mais, tudo é natural, a meu ver. A doença é mestra da saúde, o desastre dá ponderação. A China está sob a metralha, há muito tempo, e não mostrou você, ainda, qualquer demonstração de assombro.

— Mas agora — objetou o companheiro desapontado — parece que serei compelido a modificar meu programa de trabalho.

O outro sorriu e ponderou:

— Helvécio, Helvécio, esqueçamos o "meu programa" para pensar em "nossos programas".

Atendendo a novo gesto de Tobias, que me reclamava atenção, observei três senhoras que iam na mesma direção à nossa esquerda, verificando que o pitoresco não faltava, igualmente ali, naquele crepúsculo de inquietação.

— A questão impressiona-me sobremaneira — dizia a mais moça —, porque Everardo não deve regressar do mundo agora.

— Mas a guerra — disse uma das companheiras —, ao que parece, não alcançará a Península. Portugal está muito longe do teatro dos acontecimentos.

— Entretanto — indagou a outra componente do trio —, por que semelhante preocupação? Se Everardo viesse, que aconteceria?

— Receio — esclareceu a mais jovem — que ele me procure na qualidade de esposa. Não o poderia suportar. É muito ignorante e, de algum modo, me submeteria a novas crueldades.

— Tola que és! — comentou a companheira. — Olvidaste que Everardo será barrado pelo Umbral, ou coisa pior?

Tobias, sorrindo, informou:

— Ela teme a libertação de um marido imprudente e perverso.

Decorridos longos minutos, em que observávamos a multidão espiritual, atingimos o Ministério da Comunicação, detendo-nos ante os enormes edifícios consagrados ao trabalho informativo.

Milhares de entidades acotovelavam-se aflitamente. Todos queriam informações e esclarecimentos. Impossível, porém, um acordo geral. Extremamente surpreendido com o vozerio enorme, vi que alguém subira a uma sacada de grande altura, reclamando a atenção popular. Era um velho de aspecto imponente, anunciando que, dentro de dez minutos, far-se-ia ouvir um apelo do governador.

41.6 — É o ministro Esperidião — informou Tobias, atendendo-me a curiosidade.

Serenado o barulho, daí a momentos ouviu-se a voz do próprio governador, por intermédio de numerosos alto-falantes:

— Irmãos de Nosso Lar, não vos entregueis a distúrbios do pensamento ou da palavra. A aflição não constrói, a ansiedade não edifica. Saibamos ser dignos do clarim do Senhor, atendendo-lhe a Vontade divina no trabalho silencioso, em nossos postos.

Aquela voz clara e veemente, de quem falava com autoridade e amor, operou singular efeito na multidão. No curto espaço de uma hora, toda a colônia regressava à serenidade habitual.

42
A palavra do governador

Para o domingo imediato à visita do clarim, prometeu o governador a realização do culto evangélico no Ministério da Regeneração. O objetivo essencial da medida, esclareceu Narcisa, seria a preparação de novas escolas de assistência no Auxílio e núcleos de adestramento na Regeneração.

— Precisamos organizar — dizia ela — determinados elementos para o serviço hospitalar urgente, embora o conflito se tenha manifestado tão longe, bem como exercícios adequados contra o medo.

— Contra o medo? — acrescentei admirado.

— Como não? — objetou a enfermeira, atenciosa. — Talvez estranhe, como acontece a muita gente, a elevada porcentagem de existências humanas estranguladas simplesmente pelas vibrações destrutivas do terror, que é tão contagioso como qualquer moléstia de perigosa propagação. Classificamos o medo como dos piores inimigos da criatura, por alojar-se na cidadela da alma, atacando as forças mais profundas.

42.2 Observando-me a estranheza, continuou:

— Não tenha dúvida. A Governadoria, nas atuais emergências, coloca o treinamento contra o medo muito acima das próprias lições de enfermagem. A calma é garantia do êxito. Mais tarde, compreenderá tais imperativos de serviço.

Não encontrei argumento de contestação para retrucar.

Na véspera do grande acontecimento, tive a honra de integrar o quadro de cooperadores numerosos, no trabalho de limpeza e ornamentação natural do grande salão consagrado ao chefe maior da colônia.

Experimentava, então, ansiedade justa. Ia ver, pela primeira vez, a meu lado, o nobre condutor que merecia a veneração geral. Não me sentia sozinho em semelhante expectativa, porque havia inúmeros companheiros nas minhas condições.

Tive a impressão de que toda a vida social do nosso Ministério convergiu para o grande salão natural, desde o raiar de domingo, quando verdadeiras caravanas de todos os departamentos regeneradores chegavam ao local. O Grande Coro do Templo da Governadoria, aliando-se aos meninos cantores das escolas do Esclarecimento, iniciou a festividade com o maravilhoso hino intitulado "Sempre contigo, Senhor Jesus", cantado por duas mil vozes ao mesmo tempo. Outras melodias de beleza singular encheram a amplidão. O murmúrio doce do vento, canalizado em vagas de perfume, parecia responder às harmonias suaves.

Havia permissão geral de ingresso ao enorme recinto verde, para todos os servidores da Regeneração, porque, conforme o programa estabelecido, o culto evangélico era dedicado especialmente a eles, comparecendo os demais Ministérios, por numerosas delegações.

Pela primeira vez, tive à frente dos olhos alguns cooperadores dos Ministérios da Elevação e União Divina, que me pareceram vestidos em claridades resplandecentes.

A festividade excedia a tudo que eu pudesse sonhar em beleza e deslumbramento. Instrumentos musicais de sublime poder vibratório embalavam de melodias a paisagem odorante. 42.3

Às dez horas, chegou o governador acompanhado pelos doze ministros da Regeneração.

Nunca esquecerei o vulto nobre e imponente daquele ancião de cabelos de neve, que parecia estampar na fisionomia, ao mesmo tempo, a sabedoria do velho e a energia do moço; a ternura do santo e a serenidade do administrador consciencioso e justo. Alto, magro, envergando uma túnica muito alva, olhos penetrantes e maravilhosamente lúcidos, apoiava-se num bordão, embora caminhasse com aprumo juvenil.

Satisfazendo-me a curiosidade, Salústio informou:

— O governador sempre estimou as atitudes patriarcais, considerando que se deve administrar com amor paterno.

Sentando-se ele na tribuna suprema, levantaram-se as vozes infantis, seguidas de harpas cariciosas, entoando o hino "A Ti, Senhor, nossas vidas".

O velhinho enérgico e amorável passeou o olhar pela assembleia compacta, constituída de milhares de assistentes. Em seguida, abriu um livro luminoso que o companheiro me informou ser o Evangelho de Nosso Senhor Jesus Cristo. Folheou-o atento e, depois, leu em voz pausada:

— *E ouvireis falar de guerras e de rumores de guerras; olhai, não vos assusteis, porque é mister que isso tudo aconteça, mas ainda não é o fim.* — Palavras do Mestre em *Mateus*, capítulo 24, versículo 6.

Volume de voz consideravelmente aumentado pelas vibrações elétricas, o chefe da cidade orou comovidamente, invocando as bênçãos do Cristo, saudando, em seguida, os representantes da União Divina, da Elevação, do Esclarecimento, da Comunicação e do Auxílio, dirigindo-se, com especial atenção, a todos os colaboradores dos trabalhos de nosso Ministério.

42.4   Impossível descrever a entonação doce e enérgica, amorosa e convincente, daquela voz inesquecível, bem como traduzir no papel humano as considerações divinas do comentário evangélico, vazado em profundo sentimento de veneração pelas coisas sagradas.

Finalizando, em meio de respeitoso silêncio, dirigiu-se o governador, de maneira particular, aos servidores da Regeneração, exclamando, mais ou menos nestes termos:

— É para vós, irmãos meus, cujos labores se aproximam das atividades terrestres, com mais propriedade, que dirijo meu apelo pessoal, muito esperando da vossa nobre dedicação. Elevemos ao máximo nosso padrão de coragem e de espírito de serviço. Quando as forças da sombra agravam as dificuldades das esferas inferiores, é imprescindível acender novas luzes que dissipem, na Terra, as trevas densas. Consagrei o culto de hoje a todos os servidores deste Ministério, votando-lhes de modo particular a confiança do meu coração. Não me dirijo, pois, neste momento, aos nossos irmãos cujas mentes já funcionam em zonas mais altas da vida, mas a vós outros, que trazeis nas sandálias da recordação os sinais da poeira do mundo, para exalçar a tarefa gigantesca. Nosso Lar precisa de trinta mil servidores adestrados no serviço defensivo, trinta mil trabalhadores que não meçam necessidade de repouso, nem conveniências pessoais, enquanto perdurar nossa batalha com as forças desencadeadas do crime e da ignorância. Haverá serviço para todos, nas regiões de limite vibratório, entre nós e os planos inferiores, porque não podemos esperar o adversário em nossa morada espiritual. Nas organizações coletivas, é forçoso considerar a medicina preventiva como medida primordial na preservação da paz interna. Somos, em Nosso Lar, mais de um milhão de criaturas devotadas aos desígnios superiores e ao melhoramento moral de nós mesmos. Seria caridade permitir a invasão de vários milhões de Espíritos desordeiros? Não podemos, portanto, hesitar no que se refere à defesa do bem. Sei que muitos de vós recordais, neste instante, o grande Crucificado. Sim, Jesus entregou-se à turba de amotinados e criminosos, por amor à redenção de todos nós, mas não entregou o mundo à desordem e ao aniquilamento. Todos devemos estar prontos para o sacrifício individual, mas não podemos entregar nossa morada aos malfeitores. Lógico que a nossa tarefa essencial é de confraternização e paz, de amor e alívio aos que sofrem; claro que interpretaremos todo mal como desperdício de energia, e todo crime como enfermidade da alma; entretanto, Nosso Lar é um patrimônio divino, que precisamos defender com todas as energias do coração. Quem não sabe preservar não é digno de usufruir. Preparemos, pois, legiões de trabalhadores que operem esclarecendo e consolando, na Terra, no Umbral e nas Trevas, em missões de amor fraternal, mas precisamos organizar, neste Ministério, antes de tudo, uma legião especial de defesa, que nos garanta as realizações espirituais, em nossas fronteiras vibratórias.

42.5 Assim continuou a discorrer, por longo tempo, encarecendo providências de caráter fundamental, tecendo considerações que jamais conseguiria aqui descrever. Ultimando os comentários, repetiu a leitura do versículo de *Mateus*, invocando, de novo, as bênçãos de Jesus e as energias dos ouvintes, para que nenhum de nós recebesse dádivas em vão.

Comovido e deslumbrado, ouvi as crianças entoarem o hino que a ministra Veneranda intitulara *A grande Jerusalém*. O governador desceu da tribuna sob vibrações de imensa esperança e foi então que brisas cariciosas começaram a soprar sobre as árvores, trazendo, talvez de muito longe, pétalas de rosas diferentes, em maravilhoso azul, que se desfaziam, de leve, ao tocar nossas frontes, enchendo-nos o coração de intenso júbilo.

43
Em conversação

O Ministério da Regeneração continuou cheio de expressões festivas, não obstante se haver retirado o governador ao seu círculo mais íntimo.

43.1

Comentavam-se os acontecimentos. Centenas de companheiros se ofereciam para os trabalhos árduos da defensiva, assim correspondendo ao apelo do grande chefe espiritual.

Procurei Tobias para consultá-lo sobre a possibilidade do meu aproveitamento, mas o generoso irmão sorriu da minha ingenuidade e falou:

— André, você está começando agora uma tarefa nova. Não se precipite, solicitando acréscimo de responsabilidade. Haverá serviço para todos, disse-nos, ainda agora, o governador. Não se esqueça de que as nossas Câmaras de Retificação constituem núcleos de esforço ativo, dia e noite. Não se aflija. Recorde que trinta mil servidores vão ser convocados para a vigilância permanente. Destarte, na retaguarda, serão muito grandes os claros a preencher.

43.2 Identificando-me o desapontamento, o bondoso companheiro, bem-humorado, acentuou depois de ligeira pausa:

— Contente-se com a matrícula na escola contra o medo. Creia que isso lhe fará enorme bem.

Nesse ínterim, recebi grande abraço de Lísias, que integrara, na festa, a deputação do Ministério do Auxílio.

Com a licença de Tobias, retirei-me em companhia de Lísias para gozar de palestra mais íntima.

— Conhece você — indagou ele — o ministro Benevenuto, aqui na Regeneração, o mesmo que chegou anteontem da Polônia?

— Não tenho esse prazer.

— Vamos ao seu encontro — replicou Lísias, envolvendo-me nas vibrações do seu imenso carinho fraterno —, há muito que tenho a honra de incluí-lo no círculo das minhas relações pessoais.

Daí a momentos, estávamos no grande recinto verde, consagrado aos trabalhos desse ministro da Regeneração, que eu apenas conhecia de vista.

Numerosos grupos de visitantes permutavam ideias sob a copa das grandes árvores. Lísias conduziu-me ao núcleo maior, onde Benevenuto trocava impressões com diversos amigos, apresentando-me com generosas palavras. O ministro acolheu-me, cortês, admitindo-me na sua roda com extrema bondade.

A conversação continuou nos rumos naturais e notei que se discutia a situação da esfera terrestre.

— Muito doloroso o quadro que vimos — comentava Benevenuto em tom grave —; habituados ao serviço da paz na América, nenhum de nós imaginava o que fosse o trabalho de socorro espiritual nos campos da Polônia. Tudo obscuro, tudo difícil. Não se podem, ali, esperar claridades de fé nos agressores, tampouco na maioria das vítimas, que se entregam totalmente a pavorosas impressões. Os encarnados não nos ajudam, apenas consomem nossas forças. Desde o começo do meu Ministério, nunca vi tamanhos sofrimentos coletivos.

— E a comissão demorou-se muito por lá? — perguntou um dos companheiros com interesse. 43.3

— Todo o tempo disponível — ajuntou o ministro. — O chefe da expedição, nosso colega do Auxílio, julgou conveniente permanecermos exclusivamente atidos à tarefa, para enriquecermos observações e melhor aproveitar a experiência. Com efeito, as condições não poderiam ser melhores. Acredito que nossa posição está muito distante da extraordinária capacidade de resistência dos abnegados servidores espirituais que ali se encontram de serviço. Todas as tarefas de assistência imediata funcionam perfeitamente, a despeito do ar asfixiante, saturado de vibrações destruidoras. O campo de batalha, invisível aos nossos irmãos terrestres, é verdadeiro inferno de indescritíveis proporções. Nunca, como na guerra, evidencia o espírito humano a condição de alma decaída, apresentando características essencialmente diabólicas. Vi homens inteligentes e instruídos localizarem, com minuciosa atenção, determinados setores de atividade pacífica, para o a que chamam "impactos diretos". Bombas de alto poder explosivo destroem edifícios pacientemente edificados. Aos fluidos venenosos da metralha, casam-se as emanações pestilentas do ódio e tornam quase impossível qualquer auxílio. O que mais nos contristou, porém, foi a triste condição dos militares agressores, quando algum deles abandonava as vestes carnais, compelido pelas circunstâncias. Dominados, na maioria, por forças tenebrosas, fugiam dos Espíritos missionários, chamando-lhes a todos "fantasmas da cruz".

— E não eram recolhidos para esclarecimento justo? — inquiriu alguém, interrompendo o narrador.

Benevenuto esboçou um gesto significativo e respondeu:

— Será sempre possível atender os loucos pacíficos, no lar; mas que remédio se reservará aos loucos furiosos, senão o hospício?

Não havia outro recurso para tais criaturas senão deixá-las nos precipícios das trevas, onde serão naturalmente compelidas a reajustar-se, dando ensejo a pensamentos dignos. É razoável, portanto, que as missões de auxílio recolham apenas os predispostos a receber o socorro elevado. Os espetáculos entrevistos foram, portanto, demasiadamente dolorosos, por muitas razões.

43.4   Valendo-se de ligeiro intervalo, outro companheiro opinou:

— É quase incrível que a Europa, com tantos patrimônios culturais, se tenha abalançado a semelhante calamidade.

— Falta de preparação religiosa, meus amigos — definiu o ministro com expressiva inflexão de voz —; não basta ao homem a inteligência apurada, é-lhe necessário iluminar raciocínios para a vida eterna. As igrejas são sempre santas em seus fundamentos, e o sacerdócio será sempre divino, quando cuide essencialmente da Verdade de Deus, mas o sacerdócio político jamais atenderá a sede espiritual da civilização. Sem o sopro divino, as personalidades religiosas poderão inspirar respeito e admiração, não, porém, a fé e a confiança.

— Mas e o Espiritismo? — perguntou abruptamente um dos circunstantes. — Não surgiram as primeiras florações doutrinárias na América e na Europa, há mais de cinquenta anos? Não continua esse movimento novo a serviço das verdades eternas?

Benevenuto sorriu, esboçou um gesto extremamente significativo e acrescentou:

— O Espiritismo é a nossa grande esperança e, por todos os títulos, é o Consolador da humanidade encarnada, mas a nossa marcha é ainda muito lenta. Trata-se de uma dádiva sublime, para a qual a maioria dos homens ainda não possui "olhos de ver". Esmagadora porcentagem dos aprendizes novos aproxima-se dessa fonte divina a copiar antigos vícios religiosos. Querem receber proveitos, mas não se dispõem a dar coisa alguma de si mesmos. Invocam a verdade, mas não caminham ao encontro dela. Enquanto muitos estudiosos reduzem os médiuns a cobaias humanas, numerosos crentes procedem à maneira de certos enfermos que, embora curados, creem mais na doença que na saúde, e nunca utilizam os próprios pés. Enfim, procuram-se, por lá, os Espíritos materializados para o fenomenismo passageiro, ao passo que nós outros vivemos à procura de homens espiritualizados para o trabalho sério.

O trocadilho arrancou expressões de bom humor geral, acrescentando o ministro, gravemente: **43.5**

— Nossos serviços são astronômicos. Não esqueçamos, porém, que todo homem é semente da divindade. Ataquemos a execução de nossos deveres com esperança e otimismo, e estejamos sempre convictos de que, se bem fizermos a nossa parte, podemos permanecer em paz, porque o Senhor fará o resto.

44
As trevas

Enriquecendo as alegrias da reunião, Lísias deu-me a co- **44.1** nhecer novos valores da sua cultura e sensibilidade. Dedilhando com maestria as cordas da cítara, fez-nos lembrar velhas canções e melodias da Terra.

Dia verdadeiramente maravilhoso! Sucediam-se júbilos espirituais, como se estivéssemos em pleno paraíso.

Quando me vi a sós com o bondoso enfermeiro do Auxílio, procurei transmitir-lhe minhas sublimes impressões.

— Não tenha dúvida — disse, sorrindo —, quando nos reunimos àqueles a quem amamos, ocorre algo de confortador e construtivo em nosso íntimo. É o alimento do amor, André. Quando numerosas almas se congregam no círculo de tal ou qual atividade, seus pensamentos se entrelaçam, formando núcleos de força viva, pelos quais cada um recebe seu quinhão de alegria ou sofrimento, da vibração geral. É por essa razão que, no planeta, o problema do ambiente é sempre fator ponderável no caminho de cada homem. Cada criatura viverá daquilo que cultiva. Quem se oferece diariamente à tristeza nela se movimentará; quem enaltece a enfermidade sofrer-lhe-á o dano.

44.2 Observando-me a estranheza, concluiu:

— Não há nisto mistério. É lei da vida, tanto nos esforços do bem como nos movimentos do mal. Das reuniões de fraternidade, de esperança, de amor e de alegria, sairemos com a fraternidade, a esperança, o amor e a alegria de todos; porém, de toda assembleia de tendências inferiores, em que predominam o egoísmo, a vaidade ou o crime, sairemos envenenados com as vibrações destrutivas desses sentimentos.

— Tem razão — exclamei comovido —; vejo nisso, igualmente, os princípios que regem a vida nos lares humanos. Quando há compreensão recíproca, vivemos na antecâmara da ventura celeste, e, se permanecemos em desentendimento e maldade, temos o inferno vivo.

Lísias teve uma expressão de bom humor, confirmando a sorrir.

Foi, então, que me lembrei de interpelá-lo sobre uma coisa que, de algumas horas, me torturava a mente. Referira-se o governador, quando nos dirigiu a palavra, aos círculos da Terra, do Umbral e das Trevas, mas, francamente, não tinha eu, até então, qualquer notícia deste último plano. Não seria região trevosa o próprio Umbral, onde vivera, por minha vez, em sombras densas, durante anos consecutivos? Não via, nas Câmaras, numerosos desequilibrados e doentes de toda espécie, procedentes das zonas umbralinas? Recordando que Lísias me dera esclarecimentos tão valiosos da minha própria situação, no início da minha experiência em Nosso Lar, confiei-lhe minhas dúvidas íntimas, expondo-lhe a perplexidade em que me encontrava.

Ele esboçou uma fisionomia bastante significativa e falou:

— Chamamos Trevas as regiões mais inferiores que conhecemos. Considere as criaturas como itinerantes da vida. Alguns poucos seguem resolutos, visando ao objetivo essencial da jornada. São os Espíritos nobilíssimos, que descobriram a essência divina em si mesmos, marchando para o alvo sublime, sem vacilações. A maioria, no entanto, estaciona. Temos então a multidão de almas que demoram séculos e séculos recapitulando experiências. Os primeiros seguem por linhas retas. Os segundos caminham descrevendo grandes curvas. Nessa movimentação, repetindo marchas e refazendo velhos esforços, ficam à mercê de inúmeras vicissitudes. Assim é que muitos costumam perder-se em plena floresta da vida, perturbados no labirinto que tracejam para os próprios pés. Classificam-se, aí, os milhões de seres que perambulam no Umbral. Outros, preferindo caminhar às escuras, pela preocupação egoística que os absorve, costumam cair em precipícios, estacionando no fundo do abismo por tempo indeterminado. Compreendeu?

As elucidações não poderiam ser mais claras. 44.3

Sensibilizado, porém, com a extensão e complexidade do assunto, ponderei:

— Entretanto, que me diz dessas quedas? Verificam-se apenas na Terra? Somente os encarnados são suscetíveis de precipitação no despenhadeiro?

Lísias pensou um minuto e respondeu:

— Sua observação é oportuna. Em qualquer lugar, o Espírito pode precipitar-se nas furnas do mal, salientando-se, porém, que nas esferas superiores as defesas são mais fortes, imprimindo-se, consequentemente, mais intensidade de culpa na falta cometida.

— Entretanto — objetei —, a queda sempre me pareceu impossível nas regiões estranhas ao corpo terreno. O ambiente divino, o conhecimento da verdade, o auxílio superior figuravam-se-me antídotos infalíveis ao veneno da vaidade e da tentação.

O companheiro sorriu e obtemperou:

— O problema da tentação é mais complexo. As paisagens do planeta terrestre estão cheias de ambiente divino, conhecimento da verdade e auxílio superior. Não são poucos os que compartem, ali, de batalhas destruidoras entre as árvores acolhedoras e os campos primaveris; muitos cometem homicídios ao luar, insensíveis à profunda sugestão das estrelas; outros exploram os mais fracos, ouvindo elevadas revelações da verdade superior. Não faltam, na Terra, paisagens e expressões essencialmente divinas.

44.4 As palavras do enfermeiro calavam-me fundo no espírito. De fato, em geral, os guerreiros estimam a destruição na primavera e no estio, quando a natureza estende no solo e no firmamento maravilhas de cor, perfume e luz; os latrocínios e homicídios são praticados, de preferência, à noite, quando a Lua e as estrelas enchem o planeta de poesia divina. A maioria dos verdugos da humanidade constitui-se de homens eminentemente cultos, que desprezam a inspiração divina. Renovando minha concepção referente à queda espiritual, acrescentei:

— Contudo, Lísias, poderá você dar-me uma ideia da localização dessa zona de Trevas? Se o Umbral está ligado à mente humana, onde ficará semelhante lugar de sofrimento e pavor?

— Há esferas de vida em toda parte — disse ele, solícito —; o vácuo sempre há de ser mera imagem literária. Em tudo há energias viventes e cada espécie de seres funciona em determinada zona da vida.

Depois de pequeno intervalo, em que me pareceu meditar profundamente, continuou:

— Naturalmente, como aconteceu a nós outros, você situou como região de existência, além da morte do corpo, apenas os círculos a se iniciarem da superfície do globo para cima, esquecido do nível para baixo. A vida, contudo, palpita na profundeza dos mares e no âmago da terra. Além disso, há princípios de gravitação para o espírito, como se dá com os corpos materiais. A Terra não é somente o campo que podemos ferir ou menosprezar, a nosso bel-prazer. É organização viva, possuidora de certas leis que nos escravizarão ou libertarão, segundo nossas obras. É claro que a alma esmagada de culpas não poderá subir à tona do lago maravilhoso da vida. Resumindo, devo lembrar que as aves livres ascendem às alturas; as que se embaraçam no cipoal sentem-se tolhidas no voo, e as que se prendem a peso considerável são meras escravas do desconhecido. Percebe?

Lísias, porém, não precisaria fazer-me esta pergunta. Avaliei, **44.5** de pronto, o quadro imenso de lutas purificadoras, a desenhar-se ante meus olhos espirituais, nas zonas mais baixas da existência.

Como alguém que precisa ponderar bastante para exprimir-se, o companheiro pensou, pensou e concluiu:

— Qual acontece a nós outros, que trazemos em nosso íntimo o superior e o inferior, também o planeta traz em si expressões altas e baixas, com que corrige o culpado e dá passagem ao triunfador para a vida eterna. Você sabe, como médico humano, que há elementos no cérebro do homem que lhe presidem o senso diretivo. Hoje, porém, reconhece que esses elementos não são propriamente físicos, e sim espirituais, na essência. Quem estime viver exclusivamente nas sombras embotará o sentido divino da direção. Não será demais, portanto, que se precipite nas Trevas, porque o abismo atrai o abismo e cada um de nós chegará ao local para onde esteja dirigindo os próprios passos.

45
No campo da música

À tardinha, Lísias convidou-me para acompanhá-lo ao **45.1** Campo da Música.

— É preciso distrair-se um pouco, André! — disse ele, gentil.

Vendo-me relutante, acentuou:

— Falarei a Tobias. A própria Narcisa consagrou o dia de hoje ao descanso. Vamos!

Eu, porém, observava em mim mesmo singular fenômeno. Não obstante a escassez dos meus dias de serviço, já dedicava grande amor àquelas Câmaras. As visitas diárias do ministro Genésio, a companhia de Narcisa, a inspiração de Tobias, a camaradagem dos companheiros, tudo isso me falava particularmente ao espírito. Narcisa, Salústio e eu aproveitávamos todos os instantes de folga para melhorar o interior, aqui e ali, suavizando a situação dos enfermos, que estimávamos de todo o coração, como se fossem nossos filhos. Considerando a nova posição em que me encontrava, acerquei-me de Tobias, a quem o enfermeiro do Auxílio dirigiu a palavra com respeitosa intimidade. Recebendo a solicitação, meu iniciador no trabalho anuiu satisfeito:

45.2 — Ótimo programa! André precisa conhecer o Campo da Música.

E abraçando-me:

— Não hesite. Aproveite! Volte à noite, quando quiser. Todos os nossos serviços estão convenientemente atendidos.

Acompanhei Lísias, reconhecidamente. Atingindo-lhe a residência, no Ministério do Auxílio, tive a satisfação de rever a senhora Laura e informar-me quanto ao regresso da abnegada mãe de Eloísa, que deveria retornar do planeta na próxima semana. A casa estava repleta de contentamento. Havia mais beleza no interior doméstico, novas disposições no jardim.

Despedindo-nos, a dona da casa me abraçou e falou bem-humorada:

— Então, doravante, a cidade terá mais um frequentador para o Campo da Música! Tome cuidado com o coração!...

E, sorrindo com o nobre otimismo de sempre, acentuou:

— Quanto a mim, ainda ficarei hoje em casa. Vingar-me-ei de vocês, porém, muito breve! Não me demorarei a buscar meu alimento na Terra!...

Em meio da geral alegria, ganhamos a via pública. As jovens faziam-se acompanhar de Polidoro e Estácio, com quem palestravam animadamente. Lísias, a meu lado, logo que deixamos o aeróbus numa das praças do Ministério da Elevação, disse carinhoso:

— Finalmente, vai você conhecer minha noiva, de quem tenho falado muitas vezes.

— É curioso — observei intrigado — encontrarmos noivados também por aqui...

— Como não? Vive o amor sublime no corpo mortal ou na alma eterna? Lá, no círculo terrestre, meu caro, o amor é uma espécie de ouro abafado nas pedras brutas. Tanto o misturam os homens com as necessidades, os desejos e estados inferiores, que raramente se diferenciará a ganga do precioso metal.

A observação era lógica. Reconhecendo o efeito benéfico 45.3 da explicação, prosseguiu:

— O noivado é muito mais belo na Espiritualidade. Não existem véus de ilusão a obscurecer-nos o olhar. Somos o que somos. Lascínia e eu já fracassamos muitas vezes nas experiências materiais. Devo confessar que quase todos os desastres do pretérito tiveram origem na minha imprevidência e absoluta falta de autodomínio. A liberdade que as leis sociais do planeta conferem ao sexo masculino ainda não foi devidamente compreendida por nós outros. Raramente algum de nós a utiliza no mundo em serviços de espiritualização. Amiúde, convertemo-la em resvaladouro para a animalidade. As mulheres, ao contrário, têm tido, até agora, a seu favor, as disciplinas mais rigorosas. Na existência passageira, sofrem-nos a tirania e suportam o peso das nossas imposições; aqui, porém, verificamos o reajustamento dos valores. Só é verdadeiramente livre quem aprende a obedecer. Parece paradoxo; todavia, é a expressão da verdade.

— Contudo — indaguei —, tem você em mira novos planos para os círculos carnais?

— Nem podia ser de outro modo — explicou ele, pressuroso —; necessito enriquecer o patrimônio das experiências e, além disso, minhas dívidas para com o planeta são ainda enormes. Lascínia e eu fundaremos aqui, dentro em breve, nossa casinha de felicidade, crendo que voltaremos à Terra precisamente daqui a uns trinta anos.

Havíamos alcançado as cercanias do Campo da Música. Luzes de indescritível beleza banhavam extenso parque, onde se ostentavam encantamentos de verdadeiro conto de fadas. Fontes luminosas traçavam quadros surpreendentes. Um espetáculo absolutamente novo para mim.

45.4   Antes que pudesse manifestar minha profunda admiração, Lísias recomendou bem-humorado:

— Lascínia sempre se faz acompanhar de duas irmãs, às quais espero faça você as honras de cavalheiro.

— Mas, Lísias... — respondi reticencioso, considerando minha antiga posição conjugal — você deve compreender que estou ligado a Zélia.

O enfermeiro amigo, nesse instante, riu a valer, acrescentando:

— Era o que faltava! Ninguém quer ferir seus sentimentos de fidelidade. Não creio, no entanto, que a união esponsalícia deva trazer o esquecimento da vida social. Não sabe mais ser o irmão de alguém, André?

Ri-me, desconcertado, e nada pude replicar.

Nesse momento, atingimos a faixa de entrada, onde Lísias pagou gentilmente o ingresso.

Notei, ali mesmo, grande grupo de passeantes em torno de gracioso coreto, onde um corpo orquestral de reduzidas figuras executava música ligeira. Caminhos marginados de flores desenhavam-se à nossa frente, dando acesso ao interior do parque, em várias direções. Observando minha admiração pelas canções que se ouviam, o companheiro explicou:

— Nas extremidades do Campo, temos certas manifestações que atendem ao gosto pessoal de cada grupo dos que ainda não podem entender a arte sublime, mas, no centro, temos a música universal e divina, a arte santificada, por excelência.

Com efeito, depois de atravessarmos alamedas risonhas, onde cada flor parecia possuir seu reinado particular, comecei a ouvir maravilhosa harmonia dominando o céu. Na Terra, há pequenos grupos para o culto da música fina e multidões para a música regional. Ali, contudo, verificava-se o contrário. O centro do Campo estava repleto. Eu havia presenciado numerosas agregações de gente, na colônia, e extasiara-me ante a reunião que o nosso Ministério consagrara ao governador, mas o que via agora excedia a tudo que me deslumbrara até então.

A nata de Nosso Lar apresentava-se em magnífica forma. 45.5

Não era luxo nem excesso de qualquer natureza o que proporcionava tanto brilho ao quadro maravilhoso. Era a expressão natural de tudo, a simplicidade confundida com a beleza, a arte pura e a vida sem artifícios. O elemento feminino aparecia na paisagem, revelando extremo apuro de gosto individual, sem desperdício de adornos e sem trair a simplicidade divina. Grandes árvores, diferentes das que se conhecem na Terra, guarnecem belos recintos, iluminados e acolhedores.

Não somente os pares afetuosos demoravam nas estradas floridas. Grupos de senhoras e cavalheiros entretinham-se em animada conversação, valiosa e construtiva. Não obstante sentir-me sinceramente humilhado pela minha insignificância ante aquela aglomeração seletíssima, experimentava a mensagem silenciosa, de simpatia, no olhar de quantos me defrontavam. Ouvia frases soltas referentes aos círculos carnais; contudo, em nenhuma palestra notei o mais ligeiro laivo de malícia ou de acusação aos homens. Discutia-se o amor, a cultura intelectual, a pesquisa científica, a filosofia edificante, mas todos os comentários tendiam à esfera elevada do auxílio mútuo, sem qualquer atrito de opinião. Observei que, ali, o mais sábio restringia as vibrações de seu poder intelectual, ao passo que os menos instruídos elevavam, quanto possível, a capacidade de compreensão, para absorver as dádivas do conhecimento superior. Em palestras numerosas, recolhia referências a Jesus e ao Evangelho; no entanto, o que mais me impressionava era a nota de alegria reinante em todas as conversações. Ninguém recordava o Mestre com as vibrações negativas da tristeza inútil, ou do injustificável desalento. Jesus era lembrado por todos como supremo orientador das organizações terrenas, visíveis e invisíveis, cheio de compreensão e bondade, mas também consciente da energia e da vigilância necessárias à preservação da ordem e da justiça.

45.6   Aquela sociedade otimista encantava-me. Diante dos olhos, tinha concretizadas as esperanças de grande número dos pensadores verdadeiramente nobres na Terra.

Grandemente maravilhado com a música sublime, ouvi Lísias dizer:

— Nossos orientadores, em harmonia, absorvem raios de inspiração nos planos mais altos, e os grandes compositores terrestres são, por vezes, trazidos às esferas como a nossa, onde recebem algumas expressões melódicas, transmitindo-as, por sua vez, aos ouvidos humanos, adornando os temas recebidos com o gênio que possuem. O universo, André, está cheio de beleza e sublimidade. O facho resplendente e eterno da vida procede originariamente de Deus.

O enfermeiro do Auxílio, todavia, não pôde continuar.

Fôramos defrontados por gracioso grupo. Lascínia e as irmãs haviam chegado e era preciso atender aos imperativos da confraternização.

46
Sacrifício de mulher

Um ano se passou em trabalhos construtivos, com imensa **46.1** alegria para mim. Aprendera a ser útil, encontrara o prazer do serviço, experimentando crescente júbilo e confiança.

Até ali, não voltara ao lar terrestre, apesar do imenso desejo que me espicaçava o coração. Às vezes, intentava pedir concessões nesse particular, mas alguma coisa me tolhia. Não recebera auxílio adequado, não contava, ali, com o carinho e apreço de todos os companheiros? Reconhecia, portanto, que, se houvesse proveito, de há muito teria sido encaminhado ao velho ambiente doméstico. Cumpria, pois, aguardar a palavra de ordem. Além disso, não obstante desdobrar atividades na Regeneração, o ministro Clarêncio continuava a responsabilizar-se pela minha permanência na colônia. A senhora Laura e o próprio Tobias não se cansavam de me lembrar esse fato. Por diversas vezes tinha defrontado o generoso ministro do Auxílio e, no entanto, mantinha-se ele sempre silencioso sobre o assunto. Aliás, Clarêncio nunca modificava a atitude reservada, no desempenho das obrigações concernentes à sua autoridade. Apenas pelo Natal, quando me encontrara nos festejos da Elevação, tocara levemente no assunto, adivinhando-me as saudades da esposa e dos filhinhos. Comentara as alegrias da noite e asseverara não andar longe o dia em que me acompanharia ao ninho familiar. Agradeci comovidamente, esperando, cheio de bom ânimo. Entretanto, atingíramos setembro de 1940, sem que visse a realização de meus desejos.

46.2   Confortava-me, porém, a certeza de haver preenchido todo o meu tempo nas Câmaras de Retificação, com serviço útil. Não descansara. Nossas tarefas prosseguiam sempre, sem solução de continuidade.

Habituara-me a cuidar dos enfermos, a interpretar-lhes os pensamentos. Não perdia de vista a pobre Elisa, encaminhando-a, de maneira indireta, a melhores tentames.

À medida, porém, que se consolidava meu equilíbrio emocional, intensificava-se-me a ansiedade de rever os meus.

A saudade doía fundo. Em compensação, de longe em longe era visitado por minha mãe, que nunca me abandonou à própria sorte, embora permanecesse em círculos mais altos.

A última vez que nos avistáramos, ela me disse que tencionava cientificar-me de projetos novos. Aquela atitude maternal de suave conformação nos sofrimentos morais que lhe feriam a alma sensível comovera-me profundamente. Que novas resoluções teria tomado? Intrigado, esperei-lhe a visita, ansioso de conhecer-lhe os planos.

Com efeito, nos primeiros dias de setembro de 1940, minha mãe veio às Câmaras e, depois das saudações carinhosas, comunicou-me o propósito de voltar à Terra. Em tom afetuoso, explicou o projeto. Mas, surpreendido e revoltado com semelhante decisão, protestei:

— Não concordo. Voltar a senhora à carne? Por que internar-se, de novo, no caminho escuro, sem necessidade imediata?

Mostrando nobre expressão de serenidade, minha mãe **46.3** ponderou:

— Não consideras a angustiosa condição de teu pai, meu filho? Há muitos anos trabalho para reerguê-lo, e meus esforços têm sido improfícuos. Laerte é hoje um cético de coração envenenado. Não poderia persistir em semelhante posição, sob pena de mergulhar em abismos mais fundos. Que fazer, André? Terias coragem de revê-lo em tal situação, esquivando-te ao socorro justo?

— Não — respondi impressionado —; trabalharia por auxiliá-lo, mas a senhora poderá ajudá-lo mesmo daqui.

— Não duvido. No entanto, os Espíritos que amam, verdadeiramente, não se limitam a estender as mãos de longe. De que nos valeria toda a riqueza material, se não pudéssemos estendê-la aos entes amados? Poderíamos, acaso, residir num palácio relegando os filhinhos à intempérie? Não posso ficar a distância. Já que poderei contar contigo aqui, doravante reunir-me-ei a Luísa a fim de auxiliar teu pai a reencontrar o caminho certo.

Pensei, pensei e redargui:

— Insistiria, no entanto, com a senhora. Não haverá meios de evitar essa contingência?

— Não. Não seria possível. Estudei detidamente o assunto. Meus superiores hierárquicos foram acordes no conselho. Não posso trazer o inferior para o superior, mas posso fazer o contrário. Que me resta senão isso? Não devo hesitar um minuto. Tenho em ti o amparo do futuro. Não te percas, pois, meu filho, e auxilia tua mãe, quando puderes transitar entre as esferas que nos separam da crosta. Entrementes, zela por tuas irmãs, que talvez ainda se encontrem nas sombras do Umbral, em trabalho ativo de purgação. Estarei novamente no mundo, em breves dias, onde me encontrarei com Laerte para os serviços que o Pai nos confiar.

— Mas — indaguei — como se encontra ele com a senhora? Em Espírito?

46.4   — Não — disse minha mãe com significativa expressão fisionômica. — Com a colaboração de alguns amigos, localizei-o na Terra, semana passada, preparando-lhe a reencarnação imediata sem que ele nos identificasse o auxílio direto. Quis fugir das mulheres que ainda o subjugam, talvez com razão, e aproveitamos essa disposição para jungi-lo à nova situação carnal.

— Mas isso é possível? E a liberdade individual?

Minha mãe sorriu, algo triste, e obtemperou:

— Há reencarnações que funcionam como drásticos. Ainda que o doente não se sinta corajoso, existem amigos que o ajudam a sorver o remédio santo, embora muito amargo. Relativamente à liberdade irrestrita, a alma pode invocar esse direito somente quando compreenda o dever e o pratique. Quanto ao mais, é indispensável reconhecer que o devedor é escravo do compromisso assumido. Deus criou o livre-arbítrio, nós criamos a fatalidade. É preciso quebrar, portanto, as algemas que fundimos para nós mesmos.

Enquanto me perdi em graves pensamentos, continuou ela, retomando as anteriores observações:

— As infelizes irmãs que o perseguem, entretanto, não o abandonam, e, não fosse a Proteção divina por intermédio de nossos guardas espirituais, talvez lhe subtraíssem a oportunidade da nova reencarnação.

— Deus meu! — exclamei. — Será então possível? Estamos à mercê do mal até esse ponto? Simples joguetes em mão dos inimigos?

— Essas interrogações, meu filho — esclareceu minha genitora, muito calma —, devem pairar em nossos corações e em nossos lábios, antes de contrairmos qualquer débito e antes de transformarmos irmãos em adversários para o caminho. Não tomes empréstimo à maldade...

— E essas mulheres? — indaguei. — Que será feito dessas infelizes?

Minha mãe sorriu e respondeu:

46.5

— Serão minhas filhas daqui a alguns anos. É preciso não esqueceres que irei ao mundo em auxílio de teu pai. Ninguém ajuda eficientemente, intensificando as forças contrárias, como não se pode apagar na Terra um incêndio com petróleo. É indispensável amar, André! Os que descreem perdem o rumo verdadeiro, peregrinando pelo deserto; os que erram se desviam da estrada real, mergulhando no pântano. Teu pai é hoje um cético, e essas pobres irmãs suportam pesados fardos na lama da ignorância e da ilusão. Em futuro não distante, colocarei todos eles em meu regaço materno, realizando minha nova experiência.

E, olhos brilhantes e úmidos, como se estivesse a contemplar horizontes do porvir, rematou:

— E mais tarde... quem sabe, talvez regresse a Nosso Lar, cercada de outros afetos sacrossantos, para uma grande festividade de alegria, amor e união...

Identificando-lhe o espírito de renúncia, ajoelhei-me e beijei-lhe as mãos.

Desde aquela hora, minha mãe não era apenas minha mãe. Era muito mais que isso. Era a mensageira do amparo, que sabia converter verdugos em filhos do seu coração, para que eles retomassem o caminho dos filhos de Deus.

47
A volta de Laura

Não só minha mãe se preparava para regressar aos círculos 47.1
terrenos. Também a senhora Laura encontrava-se em vésperas do
grande cometimento. Avisado por alguns companheiros, aderi à
demonstração de simpatia e apreço que diversos funcionários, particularmente do Auxílio e da Regeneração, iam prestar à nobre matrona, por motivo de sua volta às experiências humanas. Realizou-se
a homenagem afetuosa na noite em que o Departamento de Contas
lhe entregou a notificação do tempo global de serviço na colônia.

Não é possível traduzir, em letras comuns, a significação
espiritual da festa íntima.

Povoava-se a encantadora residência de melodias e luzes.
As flores pareciam mais belas.

Numerosas famílias foram saudar a companheira, prestes
a regressar. Os visitantes, na maioria, cumprimentavam-na, carinhosos, ausentando-se sem maiores delongas; no entanto, os
amigos mais íntimos lá permaneceram até alta noite. Tive, assim,
ocasião de ouvir observações curiosas e sábias.

47.2   A senhora Laura me pareceu mais circunspecta, mais grave. Notava-se-lhe o esforço para acompanhar a corrente de otimismo geral. Repleta a sala de estar, a genitora de Lísias explicava ao representante do Departamento:

— Creio não me demorar mais que dois dias. Terminaram as aplicações do Serviço de Preparação, do Esclarecimento...

E, com um olhar algo triste, concluía:

— Como vê, estou pronta.

O interlocutor tomou expressão de sincera fraternidade e obtemperou:

— Espero, entretanto, que se encontre animada para a luta. É uma glória seguir para o mundo, nas suas condições. Milhares e milhares de horas de serviço a seu favor, perante a comunidade de mais de um milhão de companheiros. Além disso, os filhinhos constituirão seu belo estímulo à retaguarda.

— Tudo isso me reconforta — exclamou a dona da casa, sem disfarçar a preocupação íntima —, mas devemos compreender que a reencarnação é sempre uma tentativa de magna importância. Reconheço que meu esposo me precedeu no enorme esforço, e que os filhos amados serão meus amigos de todo instante; contudo...

— Ora essa! Não se deixe levar por conjeturas — atalhou o ministro Genésio —, precisamos confiar na Proteção divina e em nós mesmos. O manancial da Providência é inesgotável. É preciso quebrar os óculos escuros que nos apresentam a paisagem física como exílio amarguroso. Não pense em possibilidades de fracasso; mentalize, sim, as probabilidades de êxito. Além do mais, é justo confiar alguma coisa em nós outros, seus amigos, que não estaremos tão longe, no tocante à "distância vibratória". Pense na alegria de auxiliar antigas afeições, pondere na glória imensa de ser útil.

Sorriu a senhora Laura, parecendo mais encorajada, e asseverou:

— Tenho solicitado o socorro espiritual de todos os companheiros, a fim de manter-me vigilante nas lições aqui recebidas. Bem sei que a Terra está cheia da grandeza divina. Basta recordar que o nosso Sol é o mesmo que alimenta os homens; no entanto, meu caro ministro, tenho receio daquele olvido temporário em que nos precipitamos. Sinto-me qual enferma que se curou de numerosas feridas... Em verdade, as úlceras não mais me apoquentam, mas conservo as cicatrizes. Bastaria um leve arranhão, para voltar a enfermidade.

O ministro esboçou o gesto de quem compreendia o sentido da alegação e revidou:

— Não ignoro o que representam as sombras do campo inferior, mas é indispensável coragem e caminhar para diante. Ajudá-la-emos a trabalhar muito mais no bem dos outros que na satisfação de si mesma. O grande perigo, ainda e sempre, é a demora nas tentações complexas do egoísmo.

— Aqui — tornou a interlocutora sensatamente —, contamos com as vibrações espirituais da maioria dos habitantes educados, quase todos, nas luzes do Evangelho redentor; e ainda que velhas fraquezas subam à tona de nossos pensamentos, encontramos defesa natural no próprio ambiente. Na Terra, porém, nossa boa intenção é como se fora bruxuleante luz num mar imenso de forças agressivas.

— Não diga isso — atalhou o generoso ministro —, não dê tamanha importância às influências das zonas inferiores. Seria armar o inimigo para que nos torturasse. O campo das ideias é igualmente campo de luta. Toda luz que acendermos, de fato, na Terra, lá ficará para sempre, porque a ventania das paixões humanas jamais apagará uma só das luzes de Deus.

A senhora pareceu despertar, mais profundamente, em face dos conceitos ouvidos; mudou radicalmente a atitude mental e falou, cobrando novo alento:

47.4 — Estou convencida, agora, de que sua visita é providencial. Precisava levantar energias. Faltava-me essa exortação. É verdade: nossa zona mental é campo de batalha incessante. É preciso aniquilar o mal e a treva dentro de nós mesmos, surpreendê-los no reduto a que se recolhem, sem lhes dar a importância que exigem. Sim, agora compreendo.

Genésio sorriu satisfeito e acrescentou:

— Dentro do nosso mundo individual, cada ideia é como se fora uma entidade à parte... É necessário pensar nisso. Nutrindo os elementos do bem, progredirão eles para nossa felicidade, constituirão nossos exércitos de defesa; todavia, alimentar quaisquer elementos do mal é construir base segura para os nossos próprios verdugos.

A essa altura, o funcionário das Contas observou:

— E não podemos esquecer que Laura volta à Terra com extraordinários créditos espirituais. Ainda hoje, o Gabinete da Governadoria forneceu uma nota ao Ministério do Auxílio, recomendando aos cooperadores técnicos da Reencarnação o máximo cuidado no trato com os ascendentes biológicos que vão entrar em função para constituir o novo organismo de nossa irmã.

— Ah! é verdade — disse ela —, pedi essa providência para que não me encontre demasiadamente sujeita à lei da hereditariedade. Tenho tido grande preocupação relativamente ao sangue.

— Repare — disse o interlocutor, solícito — que o seu mérito em Nosso Lar é bem grande, porquanto o próprio governador determinou medidas diretas.

— Não se preocupe, portanto, minha amiga — exclamou o ministro Genésio, sorridente —, terá ao seu lado inúmeros irmãos e companheiros a colaborarem no seu bem-estar.

— Graças a Deus! — disse a senhora Laura, confortada. — Faltava-me ouvi-lo, faltava-me ouvi-lo...

Lísias e as irmãs, às quais se unia agora a simpática e generosa Teresa, manifestaram alegria sincera. **47.5**

— Minha mãe precisava esquecer as preocupações — comentou o abnegado enfermeiro do Auxílio —; afinal de contas, não ficaremos aqui a dormir.

— Têm razão — aduziu a dona da casa —; cultivarei a esperança, confiarei no Senhor e em todos vocês.

Em seguida, os comentários voltaram ao plano da confiança e do otimismo. Ninguém comentou a volta à Terra senão como bendita oportunidade de recapitular e aprender, para o bem.

Ao despedir-me, alta noite, a senhora Laura disse-me em tom maternal:

— Amanhã à noite, André, espero igualmente por você. Faremos pequena reunião íntima. O Ministério da Comunicação prometeu-nos a visita de meu esposo. Embora se encontre nos laços físicos, Ricardo será trazido até aqui, com o auxílio fraternal de companheiros nossos. Além disso, amanhã estarei a despedir-me. Não falte.

Agradeci comovidamente, esforçando-me por ocultar as lágrimas das saudades prematuras que me despontavam no coração.

48
Culto familiar

Talvez que a praticantes do Espiritismo não fosse tão surpreendente a reunião a que compareci, em casa de Lísias. Aos meus olhos, porém, o quadro era inédito e interessante. **48.1**

Na espaçosa sala de estar, reunia-se pequena assembleia de pouco mais de trinta pessoas. A disposição dos móveis era a mais simples. Enfileiravam-se poltronas confortáveis, doze a doze, diante do estrado, onde o ministro Clarêncio assumira posição de diretor, cercando-se da senhora Laura e dos filhos. À distância de quatro metros, aproximadamente, havia um grande globo cristalino, da altura de dois metros presumíveis, envolvido, na parte inferior, em longa série de fios que se ligavam a pequeno aparelho, idêntico aos nossos alto-falantes.

Numerosas indagações me bailavam no cérebro.

Na sala extensa, cada qual tomara lugar adequado, mas observava conversações fraternas em todos os grupos.

Achando-me ao lado de Nicolas, antigo servidor do Ministério do Auxílio e íntimo da família de Lísias, ousei perguntar alguma coisa. O companheiro não se fez rogado e esclareceu:

48.2 — Estamos prontos; contudo, aguardamos a ordem da Comunicação. Nosso irmão Ricardo está na fase da infância terrestre e não lhe será difícil desprender-se dos elos físicos, mais fortes, por alguns instantes.

— Mas virá ele até aqui? — indaguei.

— Como não? — revidou o interlocutor. — Nem todos os encarnados se agrilhoam ao solo da Terra. Como os pombos-correio que vivem, por vezes, longo tempo de serviço, entre duas regiões, Espíritos há que vivem por lá entre dois mundos.

E, indicando o aparelho à nossa frente, informou:

— Ali está a câmara que no-lo apresentará.

— Por que o globo cristalino? — perguntei curioso. — Não poderia manifestar-se sem ele?

— É preciso lembrar — disse Nicolas, atenciosamente — que a nossa emotividade emite forças suscetíveis de perturbar. Aquela pequena câmara cristalina é constituída de material isolante. Nossas energias mentais não poderão atravessá-la.

Nesse instante, foi Lísias chamado ao fone por funcionários da Comunicação. Era chegado o momento. Poder-se-ia começar o trabalho culminante da reunião.

Verifiquei, no relógio de parede, que estávamos com quarenta minutos depois da meia-noite. Notando-me o olhar interrogativo, disse Nicolas em voz baixa:

— Somente agora há bastante paz no recente lar de Ricardo, lá na Terra. Naturalmente, a casa descansa, os pais dormem, e ele, na nova fase, não permanece inteiramente junto ao berço...

Não lhe foi possível continuar. O ministro Clarêncio, levantando-se, pediu homogeneidade de pensamentos e verdadeira fusão de sentimentos.

Fez-se grande quietude, e Clarêncio disse comovedora 48.3 e singela prece. Em seguida, Lísias se fez ouvir na cítara harmoniosa, enchendo o ambiente de profundas vibrações de paz e encantamento. Logo após, Clarêncio tomou novamente a palavra:

— Irmãos — disse —, enviemos, agora, a Ricardo a nossa mensagem de amor.

Observei, então, com surpresa, que as filhas e a neta da senhora Laura, acompanhadas de Lísias, abandonavam o estrado, tomando posição junto dos instrumentos musicais. Judite, Iolanda e Lísias se encarregaram, respectivamente, do piano, da harpa e da cítara, ao lado de Teresa e Eloísa, que integravam o gracioso coro familiar.

As cordas afinadas casaram os ecos de branda melodia e a música elevou-se, cariciosa e divina, semelhante a gorjeio celeste. Sentia-me arrebatado a esferas sublimes do pensamento, quando vozes argentinas embalaram o interior. Lísias e as irmãs cantavam maravilhosa canção, composta por eles mesmos.

Muito difícil frasear humanamente as estrofes significativas, cheias de espiritualidade e beleza, mas tentarei fazê-lo para demonstrar a riqueza das afeições nos planos de vida que se estendem para além da morte:

Pai querido, enquanto a noite
Traz a bênção do repouso,
Recebe, pai carinhoso,
Nosso afeto e devoção!...
Enquanto as estrelas cantam
Na luz que as empalidece,
Vem unir à nossa prece
A voz do teu coração.

48.4
*Não te perturbes na estrada
De sombras do esquecimento,
Não te doa o sofrimento,
Jamais te firas no mal.
Não temas a dor terrestre,
Recorda a nossa aliança,
Conserva a flor da esperança
Para a ventura imortal.*

*Enquanto dormes no mundo,
Nossas almas acordadas
Relembram as alvoradas
Desta vida superior;
Aguarda o porvir risonho,
Espera por nós que, um dia,
Volveremos à alegria
Do jardim do teu amor.*

*Vem a nós, pai generoso,
Volta à paz do nosso ninho,
Torna às luzes do caminho,
Inda que seja a sonhar;
Esquece, um minuto, a Terra
E vem sorver da água pura
De consolo e de ternura
Das fontes de Nosso Lar.*

*Nossa casa não te olvida
O sacrifício, a bondade,
A sublime claridade
De tuas lições no bem;
Atravessa a sombra espessa,*

Vence, pai, a carne estranha,
Sobe ao cume da montanha,
Vem conosco orar também.

Às derradeiras notas da bela composição, notei que o globo se cobria, interiormente, de substância leitoso-acinzentada, apresentando, logo em seguida, a figura simpática de um homem na idade madura. Era Ricardo. Impossível descrever a sagrada emoção da família, dirigindo-lhe amorosas saudações.

O recém-chegado, após falar particularmente à companheira e aos filhos, fixou o olhar amigo em nós outros, pedindo fosse repetida a suave canção filial, que ouviu banhado em lágrimas. Quando se calaram as últimas notas, falou comovidamente:

— Ó meus filhos, como é grande a bondade de Jesus, que nos aureolou o culto doméstico do Evangelho com as supremas alegrias desta noite! Nesta sala, temos procurado, juntos, o caminho das esferas superiores; muitas vezes recebemos o pão espiritual da vida e é, ainda aqui, que nos reencontramos para o estímulo santo. Como sou feliz!

A senhora Laura chorava discretamente. Lísias e as irmãs tinham os olhos marejados de pranto.

Percebi que o recém-chegado não falava com espontaneidade e não podia dispor de muito tempo entre nós. Possivelmente, todos ali mantinham análoga impressão, porque vi Judite abraçar-se ao globo cristalino, ouvindo-a exclamar carinhosamente:

— Pai querido, diga o que precisa de nós, esclareça em que poderemos ser úteis ao seu abnegado coração!

Observei, então, que Ricardo pousou o olhar profundo na senhora Laura e murmurou:

— Sua mãe virá ter comigo, em breve, filhinha! Mais tarde, virão vocês, igualmente! Que mais eu poderia desejar, para ser feliz, senão rogar ao Mestre que nos abençoe para sempre?

48.6   Todos chorávamos enternecidos.

Quando o globo começou a apresentar, de novo, os mesmos tons acinzentados, ouvi Ricardo exclamando, quase à despedida:

— Ah! filhos meus, alguma coisa tenho a pedir-lhes do fundo de minha a alma! Roguem ao Senhor para que eu nunca disponha de facilidades na Terra, a fim de que a luz da gratidão e do entendimento permaneça viva em meu espírito!...

Aquele pedido inesperado me sensibilizou e surpreendeu ao mesmo tempo. Ricardo endereçou a todos saudações carinhosas e a cortina de substância cinzenta cobriu toda a câmara, que, em seguida, voltou ao aspecto normal.

O ministro Clarêncio orou com sentimento e a sessão foi encerrada, deixando-nos imersos em alegria indescritível.

Dirigia-me ao estrado para abraçar a senhora Laura, exprimindo-lhe de viva voz minha profunda impressão e reconhecimento, quando alguém me atalhou os passos quase junto à dona da casa, que se ocupava em atender às numerosas felicitações dos amigos presentes.

Era Clarêncio, que me falou em tom amável:

— André, amanhã acompanharei nossa irmã Laura à esfera carnal. Se lhe apraz, poderá vir conosco para visitar sua família.

Não podia ser maior a surpresa. Profunda sensação de alegria me empolgou, mas lembrei instintivamente o serviço das Câmaras. Adivinhando-me, porém, o pensamento, o generoso ministro voltou a dizer:

— Você tem regular quantidade de horas de trabalho extraordinário a seu favor. Não será difícil a Genésio conceder-lhe uma semana de ausência, depois do primeiro ano de cooperação ativa.

Possuído de júbilo intenso, agradeci, chorando e rindo ao mesmo tempo. Ia, enfim, rever a esposa e os filhos amados.

49
Regressando à casa

Imitando a criança que se conduz pelos passos dos benfei- **49.1**
tores, cheguei à minha cidade, com a sensação indescritível do viajante que torna ao berço natal depois de longa ausência.

Sim, a paisagem não se modificara de maneira sensível. As velhas árvores do bairro, o mar, o mesmo céu, o mesmo perfume errante. Embriagado de alegria, não mais notei a expressão fisionômica da senhora Laura, que denunciava extrema preocupação, e despedi-me da pequena caravana, que seguiria adiante.

Clarêncio abraçou-me e falou:

— Você tem uma semana ao seu dispor. Passarei aqui diariamente para revê-lo, atento aos cuidados que devo consagrar aos problemas da reencarnação de nossa irmã. Se quiser ir a Nosso Lar, aproveitará minha companhia. Passe bem, André!

Último adeus à dedicada mãe de Lísias e me vi só, respirando o ar de outros tempos, a longos haustos.

Não me demorei a examinar pormenores. Atravessei celeremente algumas ruas, a caminho de casa. O coração me batia descompassado à medida que me aproximava do grande portão de entrada. O vento, como outrora, sussurrava carícias no arvoredo do pequeno parque. Desabrochavam azáleas e rosas, saudando a luz primaveril. Em frente ao pórtico, ostentava-se, garbosa, palmeira que, com Zélia, eu havia plantado no primeiro aniversário de casamento.

49.2   Ébrio de felicidade, avancei para o interior. Tudo, porém, denotava diferenças enormes. Onde estariam os velhos móveis de jacarandá? E o grande retrato onde, com a esposa e os filhinhos, formávamos gracioso grupo? Alguma coisa me oprimia ansiosamente. Que teria acontecido? Comecei a cambalear de emoção. Dirigi-me à sala de jantar, onde vi a filhinha mais nova, transformada em jovem casadoura. E, quase no mesmo instante, vi Zélia que saía do quarto, acompanhando um cavalheiro que me pareceu médico, à primeira vista.

Gritei minha alegria com toda a força dos pulmões, mas as palavras pareciam reboar pela casa sem atingir os ouvidos dos circunstantes. Compreendi a situação e calei-me, desapontado. Abracei-me à companheira, com o carinho da minha saudade imensa, mas Zélia parecia totalmente insensível ao meu gesto de amor. Muito atenta, perguntou ao cavalheiro alguma coisa que não pude compreender de pronto. O interlocutor, baixando a voz, respondeu respeitoso:

— Só amanhã poderei diagnosticar seguramente, porque a pneumonia se apresenta muito complicada, em virtude da hipertensão. Todo o cuidado é pouco, o Dr. Ernesto reclama absoluto repouso.

Quem seria aquele Dr. Ernesto? Perdia-me num mar de indagações, quando ouvi minha esposa suplicar ansiosa:

— Mas, doutor, salve-o, por caridade! Peço-lhe! Oh! não suportaria uma segunda viuvez.

Zélia chorava e torcia as mãos, demonstrando imensa angústia.

Um corisco não me fulminaria com tamanha violência. **49.3** Outro homem se apossara do meu lar. A esposa me esquecera. A casa não mais me pertencia. Valia a pena ter esperado tanto para colher semelhantes desilusões? Corri ao meu quarto, verificando que outro mobiliário existia na alcova espaçosa. No leito, estava um homem de idade madura, evidenciando melindroso estado de saúde. Ao lado dele, três figuras negras iam e vinham, mostrando-se interessadas em lhe agravar os padecimentos.

De pronto, tive ímpetos de odiar o intruso com todas as forças, mas já não era eu o mesmo homem de outros tempos. O Senhor me havia chamado aos ensinamentos do amor, da fraternidade e do perdão. Verifiquei que o doente estava cercado de entidades inferiores, devotadas ao mal; entretanto, não consegui auxiliá-lo imediatamente.

Assentei-me, decepcionado e acabrunhado, vendo Zélia entrar no aposento e dele sair, várias vezes, acariciando o enfermo com a ternura que me coubera noutros tempos, e, depois de algumas horas de amarga observação e meditação, voltei, cambaleante, à sala de jantar, onde encontrei as filhas conversando. Sucediam-se as surpresas. A mais velha casara-se e tinha ao colo o filhinho. E meu filho? Onde estaria ele?

Zélia instruiu convenientemente uma velha enfermeira e veio palestrar, mais calmamente, com as filhas.

— Vim vê-los, mamãe — exclamou a primogênita —, não só para colher notícias do Dr. Ernesto, como também porque, hoje, singulares saudades do papai me atormentam o coração. Desde cedo, não sei por que penso tanto nele. É uma coisa que não sei bem definir...

Não terminou. Lágrimas abundantes borbotavam-lhe dos olhos.

Zélia, com imensa surpresa para mim, dirigiu-se à filha autoritariamente:

49.4 — Ora essa! Era o que nos faltava!... Aflitíssima como estou, tolerar as suas perturbações. Que passadismo é esse, minha filha? Já proibi a vocês, terminantemente, qualquer alusão, nesta casa, a seu pai. Não sabe que isso desgosta o Ernesto? Já vendi tudo quanto nos recordava aqui o passado morto; modifiquei o aspecto das próprias paredes, e você não me pode ajudar nisso?

A filha mais jovem interveio, acrescentando:

— Desde que a pobre mana começou a se interessar pelo maldito Espiritismo, vive com essas tolices na cachola. Onde já se viu tal disparate? Essa história dos mortos voltarem é o cúmulo dos absurdos.

A outra, embora continuasse chorando, falou com dificuldade:

— Não estou traduzindo convicções religiosas. Então é crime sentir saudades de papai? Vocês também não amam, não têm sentimento? Se papai estivesse conosco, seu único filho varão não andaria, mamãe, a praticar por aí tantas loucuras.

— Ora, ora — tornou Zélia, nervosa e enfadada —, cada qual tem a sorte que Deus lhe dá. Não se esqueça de que André está morto. Não me venha com lamúrias e lágrimas pelo passado irremediável.

Aproximei-me da filha chorosa e estanquei-lhe o pranto, murmurando palavras de encorajamento e consolação, que ela não registrou auditiva, mas subjetivamente, sob a feição de pensamentos confortadores.

Afinal, via-me em face de singular conjuntura! Compreendia, agora, o motivo pelo qual meus verdadeiros amigos haviam procrastinado, tanto, o meu retorno ao lar terreno.

Angústias e decepções sucediam-se de tropel. Minha casa pareceu-me, então, um patrimônio que os ladrões e os vermes haviam transformado. Nem haveres, nem títulos, nem afetos! Somente uma filha ali estava de sentinela ao meu velho e sincero amor.

Nem os longos anos de sofrimento, nos primeiros dias de 49.5
Além-túmulo, me haviam proporcionado lágrimas tão amargas.

Chegou a noite e voltou o dia, encontrando-me na mesma situação de perplexidade, a ouvir conceitos e a surpreender atitudes que nunca poderia ter suspeitado.

À tardinha, Clarêncio passou, oferecendo-me o cordial da sua palavra amiga e reta. Percebendo meu abatimento, disse solícito:

— Compreendo suas mágoas e rejubilo-me pela ótima oportunidade deste testemunho. Não tenho diretrizes novas. Qualquer conselho de minha parte, portanto, seria intempestivo. Apenas, meu caro, não posso esquecer que aquela recomendação de Jesus para que amemos a Deus sobre todas as coisas e ao próximo como a nós mesmos opera sempre, quando seguida, verdadeiros milagres de felicidade e compreensão, em nossos caminhos.

Agradeci, sensibilizado, e pedi que me não desamparasse com o necessário auxílio.

Clarêncio sorriu e despediu-se.

Então, em face da realidade, absolutamente só no testemunho, comecei a ponderar o alcance da recomendação evangélica e refleti com mais serenidade. Afinal de contas, por que condenar o procedimento de Zélia? E se fosse eu o viúvo na Terra? Teria, acaso, suportado a prolongada solidão? Não teria recorrido a mil pretextos para justificar novo consórcio? E o pobre enfermo? Como e por que odiá-lo? Não era também meu irmão na Casa de Nosso Pai? Não estaria o lar, talvez, em piores condições, se Zélia não lhe houvesse aceitado a aliança afetiva? Preciso era, pois, lutar contra o egoísmo feroz. Jesus conduzira-me a outras fontes. Não podia proceder como homem da Terra. Minha família não era, apenas, uma esposa e três filhos na Terra. Era, sim, constituída de centenas de enfermos

nas Câmaras de Retificação e estendia-se, agora, à comunidade
49.6 universal. Dominado de novos pensamentos, senti que a linfa do verdadeiro amor começava a brotar das feridas benéficas que a realidade me abrira no coração.

50
Cidadão de Nosso Lar

Na segunda noite, sentia-me cansadíssimo. Começava a compreender o valor do alimento espiritual, por meio do amor e do entendimento recíprocos. Em Nosso Lar, atravessava dias vários de serviço ativo, sem alimentação comum, no treinamento de elevação a que muitos de nós se consagravam. Bastava-me a presença dos amigos queridos, as manifestações de afeto, a absorção de elementos puros pelo ar e pela água, mas ali não encontrava senão escuro campo de batalha, onde os entes amados se convertiam em verdugos. As meditações preciosas que a palavra de Clarêncio me sugerira davam-me certa calma ao coração. Compreendia, finalmente, as necessidades humanas. Não era proprietário de Zélia, mas seu irmão e amigo. Não era dono de meus filhos, e sim companheiros de luta e realização.

Recordei que a senhora Laura, certa feita, me afirmara que toda criatura, no testemunho, deve proceder como a abelha, acercando-se das flores da vida, que são as almas nobres, no

50.1

campo das lembranças, extraindo de cada uma a substância dos bons exemplos, para adquirir o mel da sabedoria.

50.2 Apliquei ao meu caso o proveitoso conselho e comecei recordando minha mãe. Não se sacrificara ela por meu pai, a ponto de adotar mulheres infelizes como filhas do coração? Nosso Lar estava repleto de exemplos edificantes. A ministra Veneranda trabalhava séculos sucessivos pelo grupo espiritual que lhe estava mais particularmente ligado ao coração. Narcisa sacrificava-se nas Câmaras para obter endosso espiritual, de regresso ao mundo, em tarefa de auxílio. A senhora Hilda vencera o dragão do ciúme inferior. E a expressão de fraternidade dos demais amigos da colônia? Clarêncio me acolhera com devotamento de pai; a mãe de Lísias me recebera como filho; Tobias, como irmão. Cada companheiro de minhas novas lutas me oferecia algo de útil à construção mental diferente, que se erguia, célere, no meu espírito.

Procurei abstrair-me das considerações aparentemente ingratas que ouvia no ambiente doméstico e deliberei colocar acima de tudo o Amor divino, e, acima de todos os meus sentimentos pessoais, as justas necessidades dos meus semelhantes.

No meu cansaço, procurei o apartamento do enfermo, cujo estado se agravava de momento a momento. Zélia amparava-lhe a fronte e dizia, banhada em lágrimas:

— Ernesto, Ernesto, tem pena de mim, querido! Não me deixes só! Que será de mim se me faltares?

O doente acariciava-lhe as mãos e respondia com imenso afeto, apesar da forte dispneia.

Roguei ao Senhor energias necessárias para manter a compreensão imprescindível e passei a interpretar os cônjuges como se fossem meus irmãos.

Reconheci que Zélia e Ernesto se amavam intensamente. E, se de fato me sentia companheiro fraternal de ambos, devia auxiliá-los com os recursos ao meu alcance. Iniciei o trabalho procurando esclarecer os Espíritos infelizes que se mantinham em estreita ligação com o enfermo. Minhas dificuldades, porém, eram enormes. Sentia-me abatidíssimo.

Nessa emergência, lembrei certa lição de Tobias, quando me dissera: "Aqui, em Nosso Lar, nem todos necessitam do aeróbus para se locomover, porque os habitantes mais elevados da colônia dispõem do poder de volitação;[12] e nem todos precisam de aparelhos de comunicação para conversar a distância, por se manterem, entre si, num plano de perfeita sintonia de pensamentos. Os que se encontrem afinados desse modo, podem dispor, à vontade, do processo de conversação mental, apesar da distância".

50.3

Lembrei quanto me seria útil a colaboração de Narcisa e experimentei. Concentrei-me em fervorosa oração ao Pai e, nas vibrações da prece, dirigi-me a Narcisa, encarecendo socorro. Contava-lhe, em pensamento, minha experiência dolorosa, comunicava-lhe meus propósitos de auxílio e insistia para que me não desamparasse.

Aconteceu, então, o que não poderia esperar.

Passados vinte minutos, mais ou menos, quando ainda não havia retirado a mente da rogativa, alguém me tocou de leve no ombro.

Era Narcisa que atendia, sorrindo:

— Ouvi seu apelo, meu amigo, e vim ao seu encontro.

Não cabia em mim de contentamento.

A mensageira do bem fixou o quadro, compreendeu a gravidade do momento e acrescentou:

— Não temos tempo a perder.

Antes de tudo, aplicou passes de reconforto ao doente, isolando-o das formas escuras, que se afastaram como por encanto. Em seguida, convidou-me com decisão:

---

[12] N.E.: Locomoção pelo ar.

50.4 — Vamos à natureza.

Acompanhei-a sem hesitação, e ela, notando-me a estranheza, acentuou:

— Não só o homem pode receber fluidos e emiti-los. As forças naturais fazem o mesmo, nos reinos diversos em que se subdividem. Para o caso do nosso enfermo, precisamos das árvores. Elas nos auxiliarão eficazmente.

Admirado da lição nova, segui-a silencioso. Chegados a local onde se alinhavam enormes frondes, Narcisa chamou alguém, com expressões que eu não podia compreender. Daí a momentos, oito entidades espirituais atendiam-lhe ao apelo. Imensamente surpreendido, vi-a indagar da existência de mangueiras e eucaliptos. Devidamente informada pelos amigos, que me eram totalmente estranhos, a enfermeira explicou:

— São servidores comuns do reino vegetal, os irmãos que nos atenderam.

E, à vista da minha surpresa, rematou:

— Como vê, nada existe de inútil na Casa de Nosso Pai. Em toda parte, se há quem necessite aprender, há quem ensine; e onde aparece a dificuldade, surge a Providência. O único desventurado, na obra divina, é o espírito imprevidente, que se condenou às trevas da maldade.

Narcisa manipulou, em poucos instantes, certa substância com as emanações do eucalipto e da mangueira e, durante toda a noite, aplicamos o remédio ao enfermo, por intermédio da respiração comum e da absorção pelos poros.

O enfermo experimentou melhoras sensíveis. Pela manhã, cedo, o médico observou, extremamente surpreendido:

— Verificou-se esta noite extraordinária reação! Verdadeiro milagre da natureza!

Zélia estava radiante. Encheu-se a casa de alegria nova. Por minha vez, experimentava grande júbilo na alma. Profundo alento e belas esperanças revigoravam-me o ser. Reconhecia, eu mesmo, que vigorosos laços de inferioridade se haviam rompido dentro de mim, para sempre.

Nesse dia, voltei a Nosso Lar em companhia de Narcisa e, pela primeira vez, experimentei a capacidade de volitação. Num momento, ganhávamos grandes distâncias. A bandeira da alegria desfraldara-se em meu íntimo. Comunicando à enfermeira generosa minha impressão de leveza, ouvi-a esclarecer: **50.5**

— Em Nosso Lar, grande parte dos companheiros poderia dispensar o aeróbus e transportar-se, à vontade, nas áreas de nosso domínio vibratório, mas, visto a maioria não ter adquirido essa faculdade, todos se abstêm de exercê-la em nossas vias públicas. Essa abstenção, todavia, não impede que utilizemos o processo longe da cidade, quando é preciso ganhar distância e tempo.

Nova compreensão e novos júbilos me enriqueciam o espírito. Instruído por Narcisa, ia da casa terrestre à cidade espiritual e vice-versa, sem dificuldade de vulto, intensificando o tratamento de Ernesto, cujas melhoras se firmaram, francas e rápidas. Clarêncio visitava-me diariamente, mostrando-se satisfeito com o meu trabalho.

Ao fim da semana, chegara ao termo de minha primeira licença nos serviços das Câmaras de Retificação. A alegria tornara aos cônjuges, que passei a estimar como irmãos.

Era preciso, pois, regressar aos deveres justos.

À luz dormente e cariciosa do crepúsculo, tomei o caminho de Nosso Lar, totalmente modificado. Naqueles rápidos sete dias, aprendera preciosas lições práticas no culto vivo da compreensão e da fraternidade legítimas. A tarde sublime enchia-me de magnos pensamentos.

"Como é grande a Providência divina!" — dizia, a monologar intimamente. "Com que sabedoria dispõe o Senhor todos os trabalhos e situações da vida! Com que amor atende a toda a Criação!"

50.6   Algo, porém, me arrancou da meditação a que me recolhera. Mais de duzentos companheiros vinham ao meu encontro.

Todos me saudavam, generosos e acolhedores. Lísias, Lascínia, Narcisa, Silveira, Tobias, Salústio e numerosos cooperadores das Câmaras ali estavam. Não sabia que atitude assumir, colhido, assim, de surpresa. Foi, então, que o ministro Clarêncio, surgindo à frente de todos, adiantou-se, estendeu-me a destra e falou:

— Até hoje, André, você era meu pupilo na cidade, mas, doravante, em nome da Governadoria, declaro-o cidadão de Nosso Lar.

Por que tamanha magnanimidade se meu triunfo era tão pequenino? Não conseguia reter as lágrimas de emoção que me embargavam a voz. E, considerando a grandeza da Bondade divina, atirei-me aos braços paternais de Clarêncio, a chorar de gratidão e de alegria.

Índice geral[13]

A

Abastecimento
  atividade de * em Nosso Lar – 9.1

Abelha
  sabedoria – 50.1

Adversário
  reconciliação – 39.3

Aeróbus
  descrição – 10.1, nota
  dispensa – 50.5
  Serviço de Trânsito e
    Transporte – 10.1
  Umbral – 33.4
  volitação – 50.5, nota

Afinidade pura
  forma verbalista do
    pensamento – 37.5

Água
  absorção dos caracteres
    mentais – 10.4
  base para o sistema de
    alimentação – 10.3
  densidade da * em Nosso Lar – 10.3
  distribuição da * no Ministério
    da União Divina – 10.3
  Francisco, enfermo, e *
    magnetizada – 29.2
  importância – 10.3, 10.4
  magnetização – 10.3
  manipulação – 10.3
  Ministério do Auxílio – 10.3
  origem da * em Nosso Lar – 10.2
  procedência do corpo físico – 10.4

Alegria
  alimentação – 18.3
  educação e * de André Luiz – 27.6
  estabilidade – 18.3
  excesso – 15.2

Alimentação
  ascensão individual – 18.2
  base do sistema – 18.2
  campo da fraternidade – 18.3
  estabilidade da alegria – 18.3
  fluidos pesados – 19.1
  Ministério do Auxílio – 9.3
  neurastenia, inquietação – 19.1
  processo – 9.2, 9.3
  redução dos serviço de *
    em Nosso Lar – 9.3
  sistema de * deficiente – 9.2
  sutilização – 18.2
  tipo de * nos ministérios – 18.1
  vício – 9.3

Alimento
  alma – 18.2
  dependência – 18.1

---

[13] N.E.: Remete à numeração presente à margem das páginas.

Nosso Lar e * físico – 18.2
valor do * espiritual – 50.1

Alma
abelha e simbologia de
    * nobre – 50.1
alimento – 18.2
aprendizado da * feminina – 20.1
bônus-hora e * operosa – 22.1
comportamento – 6.3
fluidos carnais e sonolência – 15.1
Laerte e compreensão – 16.2
mendigos – 27.4
obrigações da * feminina – 20.1
ponto sombrio – 4.1

Alma gêmea
uniões de * na Terra – 20.4

Alvorada Nova
Nosso Lar e departamentos – 11.2
visita aos serviços – 11.2

Amâncio, padre
confissão – 34.2
escravo – 34.3

Amor
alimento da alma – 18.2
asilo para o * fraterno no
    coração – 30.2
base de todo sistema de
    alimentação – 18.2
cibo e * divino – 18.2, nota
conceito – 18.2
pábulo – 18.5, nota
pão divino das almas – 18.5
patrimônio – 18.3
sexo e * universal – 18.3
Terra – 45.2
verdadeiro – 16.1

Amor-próprio
falência – 2.2

André Luiz
alegria, educação – 27.6
alimentação – 3.2
aprendiz bisonho – 14.1
aprendiz em Nosso Lar – 14.4
arrependimento, remorso – 4.4
asilo para o amor no coração – 30.2
aspectos da Natureza – 7.1
audiência com o ministro
    Clarêncio – 13.2, 14.1
bônus em dobro – 36.1
bônus-hora – 28.3, 36.5
caderneta para ingresso nos
    ministérios – 17.2
Câmaras de Retificação – 26.4, 40.4
Campo da Música – 45.1
cargo de aprendiz – 14.4
caso Tobias – 38.1
chamado da consciência
    profunda – 15.1
choro de alegria – 14.5
cidadão de Nosso Lar – 50.6
clamor – 1.1
cólera – 4.2
conceito de criminoso – 1.3
conversação mental – 50.3
cura – 5.4, 6.2
curiosidades – 12.1, 25.2, 27.3
desânimo – 1.1, 2.2
desprendimento – 36.2
diante dos benfeitores
    sorridentes – 4.3
doutrinação – 34.3
duelo com a morte – 2.2
egoísmo – 1.3, 49.5
Elisa, doméstica – 40.2
estranha viagem – 1.2
existência terrestre – 1.3
família humana – 1.3
fantasma – 33.3
fé – 1.2
fidelidade – 45.4
fígado, rins – 4.3

Índice geral

fraternidade – 1.3
governador espiritual – 42.3
Henrique de Luna, médico
   espiritual – cap. 4.2
intercessão – 7.3, 14.4, 26.2
interrogações sobre a família – 33.2
intestinos, fígado, rins – 5.2
irmã – 16.3
joguete – 1.1
Laerte, pai – 16.2
lágrima – 1.2, 2.2, 2.3
lamentação – 6.1, 6.2
lar, esposa, filhos – 1.2
Laura, reminiscências
   distantes – 25.4
Lísias, enfermeiro – 5.1
loucura – 1.1
mãe – 7.3, 7.4, 14.4, 15.2,
   26.2, 36.3, 37.1
martírio moral – 40.3
matrícula na escola contra
   o medo – 43.2
mecanismo dos passes – 36.1
medicina honesta – 5.4
médico de espírito enfermo – 14.3
médico na Terra – 14.2
medo – 1.2
Ministério do Auxílio – 8.1
ministro Clarêncio – 14.1
necessidade de sono – 36.2
necessidade fisiológica – 2.2
notas – 14.4
observações – 33.1-33.3
oclusão intestinal – 4.2
operação dos intestinos – 2.2
oração – 26.1, 27.1
passado espiritual – 21.3
passe magnético – 5.4
permanência nas esferas
   inferiores – 7.3
permissão para conferência – 37.1
plantão noturno nas Câmaras
   de Retificação – 28.3

poalha – 1.2, nota
primeira experiência de
   volitação – 50.5
primeira prece coletiva – 3.5
primeiro ano de trabalho – 46.1
quinze anos de clínicas – 13.1, 14.4
realidade eterna – 1.3
receio, pavor – 1.2
receituário gratuito – 14.4
reencontro pós morte – 7.2
religiões no mundo – 2.2
renovação das energias – 3. 4
responsabilidade profissional – 14.4
retorno à cidade terrestre – 49.1
semana de licença – 49.1, 50.5
seres animalescos – 2.2
serviço especializado – 14.1
serviço médico – 14.1
serviço noturno – 28.2
sífilis – 4.2, 4.3
sinceridade – 26.3
sofrimento moral – 6.2
Sol – 3.2, 4.1
sonho – 36.3
sugestões da Sra. Laura – 25.2
suicida – 22, 4.3, 4.4
surpresa da verdade – 1.4
tarefa humilde – 25.2
técnica do médico espiritual – 13.1
tempo de trabalho – 46.1, 48.6
teoria do sexo – 18.3
terceiro dia de trabalho – 38.1
término do tratamento – 17.1
terror da eterna separação – 2.2
Tobias – 26.4
trabalho de higiene – 27.5
transporte em massa – 28.2
Umbral – 12.1, 12.4
vaidade inútil – 14.3, 26.2
valor do alimento espiritual – 50.1
viagem – 1.2
vida social – 45.4
visão espiritual deseducada – 31.2

visita à família – 48.6
viuvez, orfandade – 33.2
Zélia, esposa – 6.2, 45.4, 49.1

Animal doméstico
identificação – 7.2

Animalidade
desaparecimento – 39.2

Aparelho gástrico
destruição – 4.3

Aprendiz
André Luiz – 14.4

Arnaldo, noivo de Eloísa
Maria da Luz – 19.4
união conjugal – 193

Arrependimento
saber calar – 5.4

Arte
Nosso Lar – 45.4

Atitude mental
modificação – 15.4

Atmosfera
ciência da absorção dos princípios vitais – 9.2

Audição espiritual
harpista – 17.3

Audiência
Clarêncio e processo – 13.2

Autor da Vida *ver* Deus

B

Bateria elétrica
acionamento da * das muralhas da cidade – 9.3

Bem
prática do * exterior e interior – 36.4

Bênção nupcial *ver* Casamento

Benevenuto, ministro
Ministério da Regeneração – 43.2
Polônia – 43.2

Bônus
representação – 36.5

Bônus-hora
almas operosas – 22.1
André Luiz – 28.3, 36.5
aquisição de * na Terra – 21.2
casa própria – 22.1
compensação – 28.3
conceito – 13.3, nota, 21.1, 22.1
contagem de tempo de serviço – 22.4
emprego – 21.1, 22.1, 22.4
esclarecimento – 37.1
intercessão – 22.4
lar – 21.1
Ministérios – 22.4
modificação – 22.4
natureza do serviço – 22.1, 22.2
remuneração – 22.2, 36.5
representação – 36.5
transferência – 22.4
utilização de * na Terra – 21.2
valor da hora – 36.5

Bosque das Águas
Nosso Lar – 10.2
salão natural – 32.2
Veneranda, ministra – 32.2

C

Caderneta
André Luiz e * de ingresso nos ministérios – 17.2

Índice geral

Câmara de Retificação
   André Luiz e trabalho extra – 26.4
   armadilhas do Umbral – 27.4
   assistente Gonçalves – 27.2
   características – 27.1
   carga de trabalho – 28.4
   crentes negativos – 27.5
   departamento feminino – 40.1
   desagradável exalação – 27.3
   descrição – 27.1
   desequilibrados do sexo – 31.1
   Elisa – 40.2
   entidades de natureza
      masculina – 27.3
   escravos – 34.2. 34.3
   fábricas em Nosso Lar – 26.5
   Francisco, enfermo – 29.2
   Gonçalves, assistente – 27.2
   Hermes, assistente – 27.2
   licença de André Luiz – 48.6, 50.5
   localização – 26.5
   Lourenço, assistente – 27.2
   mendigos da alma – 27.4
   ministro Flacus – 27.2
   Narcisa – 27.5, 28.4
   Nemésia – 34.5
   núcleos de esforço ativo – 43.1
   origem das lágrimas – 27.4
   Paulo, vigilante-chefe – 31.3
   plantão noturno – 28.3
   pontos negros – 31.2, 31.3
   primeiro ano de trabalho – 46.1
   Ribeiro, enfermo – 27.2
   Salústio – 28.3
   Samaritanos – 33.1
   sentinelas – 31.2
   Tobias – 26.4
   toques de clarim – 41.3
   Umbral – 27.4
   usuários – 27.3
   Venâncio – 28.3
   Zenóbio – 34.5

Caminho do auxílio
   trabalho, humildade – 13.4

Campo de Música
   André Luiz – 45.1
   arte – 45.5
   compositores terrestres – 45.6
   descrição – 45.4
   excursão – 18.4
   inspiração – 45.6
   lembranças de Jesus – 45.5

Campo de Repouso
   Nosso Lar – 13.4, 22.1

Caridade
   dever – 18.3
   fraternidade e * divina – 39.5

Carne terrestre *ver* Corpo físico

Casa de assistência
   condição para permanência – 6.2

Casa própria
   aquisição – 22.1

Casal terrestre
   comportamento – 20.4

Casamento
   algemas – 20.4
   almas gêmeas, irmãs – 20.4
   comportamento – 20.2
   experiência – 39.4
   ligações de resgate – 20.4
   processo retificador – 38.5
   realização do * espiritual – 38.5
   tipos – 38.5

Célio, ministro
   encontro do * com a mãe de
      André Luiz – 16.5
   Ministério da Comunicação – 16.5

Célula de carne
   importância – 5.4

Cérebro
  essência dos elementos – 44.5
Cibo
  Amor divino – 18.2, nota
Cidadão de Nosso Lar
  André Luiz – 50.6
Ciência do recomeço
  compreensão – 25.4
  Paulo de Tarso – 25.4
Cinematógrafo
  Ministério do Esclarecimento – 32.2
  parques de educação – 32.2
  salão natural – 32.2
Círculo inferior *ver* Plano inferior
Ciúme
  libertação – 38.5
Civilização
  sacerdócio político – 43.4
Clara, irmã de André Luiz
  Umbral – 16.3, 46.3
Clarêncio, ministro
  audiência com André
    Luiz – 13.2, 14.1
  cajado – 3.1
  convite à André Luiz – 48.6
  emissário dos Céus – 2.4
  intercessão – 4.4
  Ministério do Auxílio – 8.2
  Nosso Lar – 2.4
  prece de Clarêncio – 48.3
  socorros de emergência – 2.4, 13.2
Clarim
  Câmaras de Retificação – 41.2
  Espíritos vigilantes – 41.3
  guerra – 41.3
  Jesus – 41.3
  Ministério da Comunicação – 41.4

Ministério da Regeneração – 41.3
serviços de socorro – 41.3
Cólera
  forças negativas – 4.2
Colônia espiritual
  identificação dos Espíritos – 11.2
Comunicação urbana
  aparelho – 29.1
Cônjuge
  lar terrestre – 20.1
Consanguinidade
  esquecimento do passado – 39.3
  fraternidade – 39.3
  laços – 39.3
  ódio, incompreensão – 39.3
Consciência
  acusação – 1.2
  chamado da * profunda – 15.1
  tormentos – 1.2
Conversação mental
  Narcisa – 50.3
  prece – 50.3
  sintonia de pensamentos – 50.3
Cooperação
  Lei Eterna – 13.5
Cooperação magnética
  enfermeiro – 4.1
Corpo causal
  origem – 12.2
Corpo físico
  abandono – 2.2
  abuso – 5.4
  antecessores na morte – 7.2
  apego – 29.3
  campo bendito – 5.4
  culto – 29.4

Índice geral

eliminação – 29.4
morte do * e alma – 16.2
Sol – 3.2

Couceiro, assistente
Eloísa – 19.5

Crente negativo
descrição – 27.5
fluidos venenosos – 27.5
passes de fortalecimento – 27.5

Crime
enfermidade da alma – 42.4

Culto Evangélico
alto-falante – 48.1
canção – 48.3
caravanas – 42.2
coro familiar – 48.3
governador espiritual – 42.1
ingresso – 42.2
Ministério da Regeneração – 42.1
objetivos – 42.1
Ricardo – 48.5

Culto familiar *ver* Culto evangélico

Cura
desejo da * espiritual – 6.2
trabalho – 5.4

Curso de espiritualização
escolas religiosas – 37.4

Curso de observação
caderneta – 17.2
duração – 17.2
estágio de serviço – 26.2

D

Débito no planeta
compreensão – 21.4
retificação – 5.3

Departamento de Contas
Laura – 47.1
tempo de serviço – 47.1

Departamento de Regeneração
transformação – 9.3

Departamento feminino
André Luiz – 40.1
Câmaras de Retificação – 40.1
Elisa – 40.2
Nemésia – 40.1
orientação de Narcisa – 40.2

Desencarnação
animosidade, antipatias – 39.3
tuberculose e * de Eloísa – 19.2

Deus
nossas penitências – 7.3
posição receptiva – 7.3
rogativa – 2.3
valor da hora – 36.5

Dever cumprido
união com o Senhor – 12.1

Dor
edificação – 15.4
significado – 6.3
zona intestinal – 6.1

E

Edelberto, médico
eutanásia – 30.5
Paulina, irmã – 30.1, 30.3

Educação
alegria e * de André Luiz – 27.6
salões verdes – 32.1

Egoísmo
André Luiz – 1.3
Eloísa – 19.5

Elisa, doméstica
   André Luiz e lembranças – 40.2
   Câmaras de Retificação – 40.2
   história – 40.4
   Nemésia – 40.5
   sífilis – 40.4

Eloísa, neta de Laura
   alimentação – 19.1
   amor-próprio – 19.5
   Arnaldo, noivo – 19.3
   Couceiro, assistente – 19.5
   desencarnação – 19.3
   educação religiosa deficiente – 19.2
   egoísmo – 19.5
   Maria da Luz – 19.4
   Teresa, mãe – 19.5, 47.5, 48.3
   tuberculose – 19.2
   Umbral 19.1
   união conjugal – 19.3

Emanação mental
   desagradável exalação – 27.3

Encarnação
   importância da * na Terra – 15.1

Enfermagem dos perturbados
   cooperação – 13.4

Enfermeiro
   conhecimentos, possibilidades – 13.1
   cooperação magnética – 4.1

Ernesto, Dr.
   tratamento – 50.5

Zélia, esposa
   André Luiz – 49.2

Escravo
   Amâncio, padre – 34.3

Escritor de má-fé
   Umbral – 17.4

Esfera do globo, da crosta *ver* Terra

Esfera elevada *ver* Plano elevado

Esfera inferior *ver* Plano inferior

Esperança
   licor da * no coração – 3.5

Esperidião, ministro
   Ministério da Comunicação – 41.6

Espiritismo
   Benevenuto, ministro – 43.4
   Consolador da Humanidade – 43.4
   culto familiar – 48.1
   fenomenismo – 43.4
   interesse – 49.4
   médiuns – 43.4
   verdades eternas – 43.4
   vícios religiosos – 43.4

Espírito desencarnado
   diferenciação entre Espírito
   encarnado – 33.3

Espírito encarnado
   desprendimento – 33.3
   diferenciação entre Espírito
   desencarnado – 33.3
   filamentos, fios – 33.3
   mensageiro da esfera carnal – 33.4

Espírito enfermo
   transformação em médico – 14.3

Espírito imortal
   trabalho e aquisições
   definitivas – 6.3

Espiritualidade
   símbolos da * superior – 3.3

Esquecimento
   consanguinidade e * do
   passado – 39.3
   fraternidade e * do passado – 39.3

Índice geral

Estácio, servidor
Ministério do Esclarecimento – 18.4

Eterna separação
terror – 2.2

Eutanásia
Edelberto, médico – 30.5
herança – 30.5

Evangelho
André Luiz e conhecimento – 1.2
críticas de escritores – 1.2
culto doméstico – 48.5
sacerdócio organizado – 1.2

Evangelho de Jesus
dar, receber – 36.4
governador espiritual – 42.3

Everardo
Umbral, crueldades – 41.5

Existência terrena
menosprezo – 12.2

Experiência consanguínea
objetivo da – 30.3

Experiência humana
reconhecimento – 15.1
vaidades – 2.3

F

Fácies
significado da palavra – 20.1, nota

Falta cometida
sistema de verificação – 4.3

Família
André Luiz e * humana – 1.3
inquietações – 16.3, 33.2
instituição da * humana
ameaçada – 20.2
objetivo da * consanguínea
na Terra – cap. 30.3
Ribeiro, enfermo, e influência – 27.2
seções da * universal – 6.2

Fatalidade
livre-arbítrio – 46.4

Fé
André Luiz e sentimento – 1.2
manifestação divina – 1.2
sobre-humana – 18.4

Feminismo
ação do movimento – 20.4

Flacus, ministro
Samaritanos – 27.2

Fluidos
alegoria sobre os * pesados – 28.2
alma e * carnais – 15.1
crentes negativos e *
venenosos – 27.5
emissão e recepção – 50.4

Força mental
emprego equivocado – 37.4

Força perversa
assédio incessante – 2.1

Francisco, enfermo
água magnetizada – 29.2
apego ao corpo físico – 29.3
Câmaras de Retificação – 29.2
passe – 29.2
Samaritanos – 29.3
sensação de vermes – 29.2
tormento do próprio cadáver – 29.3
Umbral – 29.3
visão do cadáver – 29.4

Fraternidade
André Luiz – 1.3
caridade divina – 39.5
laços de consanguinidade – 39.3

lei – 39.3
paternidade, maternidade – 30.3
princípios – 23.2

Fraternidade da Luz
cristãos da América – 32.4
Veneranda, ministra – 32.4

G

Genésio, ministro
André Luiz – 36.1
ensinamentos – 26.2
Ministério da Regeneração – 25.1,

Globo cristalino
características – 48.5
energias mentais – 48.2
Ricardo – 48.2

Gonçalves, assistente
Câmaras de Retificação – 27.2

Governador espiritual
André Luiz – 42.3
apelo – 41.5
colaboradores – 8.3
culto evangélico – 42.1
guerra europeia – 41.5
Jesus – 32.4
medidas drásticas – 9.3
oração – 3.3
palácio natural – 32.3
palavras – 42.3
perfil – 8.3, 42.3
permanência do * em
Nosso Lar – 8.4
preces coletivas – 8.3
processo utilizado nas
palestras – 37.3
proibição do intercâmbio
com a Terra – 131
salão de palestras – 32.3
Templo da Governadoria,
oração – 11.4

Governadoria
assuntos administrativos – 11.3
características – 8.3
convergência dos Ministérios – 8.3
funcionários – 8.3
instrutores – 9.2

Grande Parque
caminhos para o Umbral – 32.1
ministra Veneranda – 32.1
salões verdes – 32.1
sucos alimentícios – 32.1

Grandes Fraternidades do Oriente
dificuldades – 41.1
guerra europeia – 41.1

Guerra
preço pela iniciativa – 41.2

Guerra europeia
apelo do governador – 41.5
Grandes Fraternidades do
Oriente – 41.1
Nosso Lar – 41.1
Portugal – 41.5
preparação religiosa – 43.4

H

Helvécio
programa de trabalho – 41.5

Henrique de Luna, médico
André Luiz – 4.2, 17.1
Lísias, enfermeiro – 5.1

Herança
casos – 30.5
eutanásia – 30.1-30.5
problema – 24.3

Hermes, assistente
Câmaras de Retificação – 27.2

Índice geral

Hierarquia
    Nosso Lar – 7.2

Higiene espiritual
    trabalho – 24.1

Hilda
    desencarne – 38.4
    Luciana – 38.3
    Nosso Lar – 38.3
    primeira esposa de Tobias – 38.4
    Umbral – 38.4

Homem
    mulher e * no lar terrestre – 20.2

Humanidade
    constituição – 1.2
    crise orgânica e * carnal – 24.4
    parte invisível da * terrestre – 24.2
    tributos de sofrimento e *
        terrestre – cap. 24.4

I

Íbis viajor
    missão – 33.5
    Samaritanos – 33.5
    Umbral – 33.4

Igreja
    personalidades religiosas – 43.4
    sacerdócio – 43.4

Impressões físicas
    despojamento – 21.3

Inativo
    Campo de Repouso – 22.1

Inferno individual
    criação – 30.5

Instituição doméstica *ver*
        Organização
        doméstica

Instrutor
    discípulo pronto – 26.3

Instrutor de esfera elevada
    princípios vitais – 9.2

Intercâmbio com o invisível *ver*
        Mediunidade

Intercessão
    bônus-hora – 22.4
    mãe de André Luiz – 7.3, 14.4, 26.2
    tempo de trabalho – 22.4

Interstício das experiências
        carnais *ver* Vida
        espiritual

Intuição
    pensamento – 37.5
    Iolanda, irmã de Lísias – 17.3

Irmão
    título – 30.3

J

Jesus
    governador espiritual – 32.4
    início das preleções
        evangélicas – 37.6
    perdão – 39.3
    Veneranda, ministra – 32.4

Joguete
    André Luiz, * de forças
        irresistíveis – 1.1
    inimigos – 46.4
    Judite, irmã de Lísias – 17.3

Justiça
    auxílio – 23.4

Justino
    sentinela das Câmaras de
        Retificação – 31.2

L

Laço físico
  desprendimento – 1.2

Laerte, pai de André Luiz
  adesão mental – 16.3
  compreensão da alma – 16.2
  lágrimas de arrependimento – 16.3
  mãe de André Luiz – 16.2, 46.2
  potencial vibratório baixo – 16.3
  preceitos religiosos – 16.3
  reencarnação – 46.3
  restrição do padrão vibratório – 16.2
  Silveira – 35.1-35.5
  subjugação – 46.4
  Umbral – 16.2
  viciação da visão espiritual – 16.2

Lágrima
  André Luiz – 1.2, 2.2, 2.3
  Laerte e * de arrependimento – 16.3
  oração – 7.3
  remédio depurador – 5.4
  retorno aos sentimentos
    humanos – 15.4

Lamentação
  André Luiz – 6.1-6.2
  conselho para renúncia – 15.4
  enfermidade mental – 6.2
  sombras – 15.4
  zonas estéreis – 6.2

Lar
  ansiedade de rever o * terreno – 15.1
  bônus-hora – 21.1
  conceito – 20.2, 20.3
  cônjuges no * terreno – 20.1
  herança – 22.5
  instituição divina – 20.3
  saudade – 4.1
  serviços de extensão – 20.4
  simbologia – 20.2

Lar terrestre
  homem e mulher – 20.3
  organização doméstica em
    Nosso Lar – 20.1
  paternidade, maternidade – 30.3
  retorno – 49.4
  solidariedade universal – 30.3

Lascínia
  Laura, mãe de Lísias – 17.3
  noiva de Lísias – 18.4, 45.3
  reencarnação – 45.3

Laura, mãe de Lísias
  André Luiz, reminiscências
    distantes – 25.4
  bônus-hora – 21.1, 22.4
  caso Tobias – 39.3
  compreensão do débito – 21.4
  Couceiro, assistente – 19.5
  Departamento de Contas – 47.1
  despojamento das impressões
    físicas – 21.3
  economia pessoal – 22.5
  egoísmo – 47.3
  existência laboriosa na Terra – 21.1
  Iolanda, filha – 17.3
  Judite, filha – 17.3
  Lei da Hereditariedade – 47.4
  leitura das memória – 21.3
  Longobardo, assistente – 21.3
  novo encontro na Terra – 21.4
  operações psíquicas – 21.4
  oração – 17.4
  receio do esquecimento – 47.3
  reencarnação – 21.4, 25.4,
    45.2, 47.1, 47.5
  reencontro com os filhos – 21.1
  Ricardo, esposo – 21.1
  sugestões – 25.2
  tempo de serviço – 47.1
  teorias do sexo – 18.3
  Teresa, filha – 19.5
  trabalhos de enfermagem – 20.4

Índice geral

Umbral – 21.1
visão interior – 21.3

Lei da Simplicidade
adaptação dos habitantes – 9.1

Lei de Causa e Efeito
Lísias – capa. 5.2

Lei do Descanso
Nosso Lar – 11.3

Lei Eterna
cooperação – 13.5

Lei vibratória
Umbral – 12.3

Leproso
significado do termo – 36.3, nota

Liberdade
alma e * irrestrita – 46.4
leis sociais – 45.3
mulheres – 45.3
obediência – 45.3
sexo masculino – 45.3

Lição
compreensão, fraternidade – 50.5

Lísias, enfermeiro
aeróbus – 10.1, nota
André Luiz – 5.1
assistência diária – 5.2
Henrique de Luna – 5.1
Iolanda, irmã – 17.3
Judite, irmã – 17.3
Lascínia, noiva – 18.4, 45.2
Laura, mãe – 17.3
Lei de Causa e Efeito – 5.2
passes magnéticos – 5.4
reencarnação – 25.4, 45.3
residência – 18.1, 45.2

Livre-arbítrio
Deus – 46.4
fatalidade – 46.4

Longobardo, assistente
Laura e consulta – 21.3

Lourenço, assistente
Câmaras de Retificação – 27.2

Luciana
casamento com Tobias – 38.2
Hilda – 38.3
noivado espiritual – 38.6
segunda esposa de Tobias – 38.2
união fraternal – 38.6

Luísa, irmã de André Luiz
reencarnação – 16.3, 46.3

Luna, Henrique de,
médico espiritual
André Luiz – 4.2

Luta judicial
patrimônio material – 30.3

M

Mãe
conceito de * na Terra – 15.3
intercessão – 7.3, 14.4, 26.2
Laerte, pai de André
Luiz – 16.2, 46.3
localização – 7.4
reencarnação – 46.2
reencontra com André
Luiz – 15.2, 36.3
renúncia – 46.5
trabalho pela renovação
espiritual – 16.1

Mal
interpretação – 42.4

Maria da Luz
amiga de Eloísa – 19.4
Arnaldo – 19.4

Maternidade
  finalidade – 30.3

Matrimônio espiritual
  características – 38.4

Medicina
  profissionais da * na Terra – 14.3

Médico
  André Luiz e * de Espíritos
    enfermos – cap. 14.3
  técnica do * espiritual – 13.1

Médium
  Espiritismo – 43.4

Medo
  calma – 42.2
  classificação – 42.1
  escola contra o * e André Luiz – 42.1
  treinamento e exercícios – 42.2

Memória
  Laura, Ricardo e leitura – 21.4
  seção do arquivo – 21.3

Mendiga
  Céu, paraíso – 31.6
  consciência – 31.5
  inferno – 31.6
  pontos negros – 31.2, 31.3
  recém-chegada do Umbral – 31.3
  situação – 31.4
  vampiro – 31.3, 31.6

Mente humana
  Umbral – 12.4, 44.4

Mérito do Serviço
  ministra Veneranda e medalha – 32.4

Mestre *ver* Jesus

Milagre
  morte do corpo – 5.3

Militar agressor
  condição – 43.3

Ministério da Comunicação
  admissão aos trabalhos – 11.3
  Célio, ministro – 16.5
  fechamento provisório – 9.3
  Pádua, ministro – 29.4
  proibição de intercâmbio – 23.2
  turma de vigilância – 13.3

Ministério da Economia
  abastecimento – 9.1

Ministério da Elevação
  adesão do * ao processo de
    alimentação – 9.3
  André Luiz e cooperadores – 42.2

Ministério da Regeneração
  alimentos que lembram a Terra – 9.3
  Benevenuto, ministro – 43.2
  características – 8.2
  clarim – 41.2
  comunicação dos Samaritanos – 28.1
  culto evangélico – 42.1
  Departamento de Contas – 47.1
  deveres – 11.3
  Flacus – 27.2
  Genésio – 25.1, 6.1
  legião especial de defesa – 42.4
  núcleos de adestramento – 42.1
  palavras do governador aos
    servidores – 42.4
  perturbações – 11.4
  Rafael, funcionário – 25.1
  recém-chegados do Umbral – 11.3
  regiões mais baixas de
    Nosso Lar – 25.2
  sintonia com Umbral – 11.4
  transformação do
    Departamento – 40.4
  tratamento – 21.4
  Veneranda, ministra – 28.4

Índice geral

Ministério da União Divina
André Luiz e cooperadores – 42.2
atividades – 11.3
características – 8.2, 9.2
distribuição da água – 10.2
ingresso – 11.3
magnetização da água – 10.3
mentores – 9.3

Ministério do Auxílio
alimentação – 9.3, 18.1
André Luiz – 8.1
Clarêncio – 8.2
concentrados fluídicos – 18.1
escolas de assistência – 42.1
intercessões chegadas – 14.4
luar – 23.1
manipulação da água – 10.3
missão – 8.1, 12.4
Nicolas – 48.1
Nosso Lar – 8.2
recém-chegados do Umbral – 11.3
refeições – 18.1
residência de Lísias – 45.2
servidores do * no Umbral – 12.4
sistema de alimentação – 9.2
substâncias que lembram
    a Terra – 9.3
tarefas – 11.3

Ministério do Esclarecimento
adesão do * ao processo
    de alimentação
    – 9.3
arquivos – 8.3
cinematógrafo terrestre – 32.2
Estácio, servidor – 18.4
Gabinetes de Investigações
    e Pesquisas – 13.4
magnetizadores – 21.3
meninos cantores – 42.2
parques de educação – 32.2
Polidoro, servidor – 18.4
reconhecimento do erro – 9.3

seção do arquivo – 8.3, 21.3
Serviço de Preparação – 47.2
simbologia de lar – 20.2

Ministérios de Nosso Lar
missão – 8.2, 8.3
origem – 11.2
ponto de convergência – 8.3
recém-chegados do Umbral – 11.3

Ministros de Nosso Lar – 8.2

Missa
celebração – 34.2
pagamento – 34.4

Mobiliário natural
constituição e conservação – 32.2

Moradia, colônia
apelo de paz – 24.1
emissora do Posto Dois – 24.1
higiene espiritual – 24.1
linguagem – 24.2
localização – 24.2
Nosso Lar e comunicação – 24.1

Morte
certeza – 27.4
impressões – 27.3
reencontro – 7.2
visão de Francisco depois
    da * carnal – 29.4

Mulher
homem e * no lar terrestre – 20.2
tarefa – 20.4

Música
estímulo da * em Nosso Lar – 11.4

N

Narcisa, enfermeira
água magnetizada – 29.2
Câmaras de Retificação – 27.1

conversação mental – 50.3
desequilíbrios do sentimento – 28.4
Francisco, enfermo – 29.2
operação magnética – 29.2
passes – 27.2, 50.4
pontos negros – 31.2
Ribeiro, enfermo – 27.2
servidores do reino vegetal – 50.4
tarefa de limpeza – 27.5
tempo de serviço – 28.4
Veneranda, ministra – 28.4

Natureza
aspectos da * e André Luiz – 7.1
fluidos – 50.4
remédios – 50.4

Natureza do serviço
bônus-hora – 22.1
importância – 22.3

Necessidade fisiológica
persistência – 2.2

Nemésia
André Luiz – 40.1
Câmaras de Retificação – 34.5
Eliza – 40.5

Nicolas, servidor
Ministério do Auxílio – 48.1

Noivado
espiritualidade – 45.3
recursos do espírito – 20.3

Nosso Lar
abastecimento – 9.1
acionamento das baterias
elétrica – 9.3
adestramento no serviço
defensivo – 42.4
aeróbus – 10.1, nota; 50.3, 50.5
água – 10.3
alimentação – 9.3, 18.1
André Luiz, cidadão – 50.6

apelo de paz – 24.1
arte – 45.4
audição, visão à distância – 3.4
bônus-hora – 13.3, nota; 22.1-22.5
Bosque das Águas – 10.2
Campo de Repouso – 13.4, 22.1
carga horária de trabalho – 22.1
cidade espiritual de transição
– 20.1, 37.6
cisões – 9.3
Clarêncio – 2.4
comunicação com a colônia
Moradia – cap. 24.1
conhecimento de enfermeiro – 13.1
crepúsculo – 3.3
densidade da água – 10.3
departamento do Umbral – 23.2
divina melodia – 3.3
escola diferente – 15.4, 17.1
Espíritos vitoriosos – 5.2
estágio de serviço e
aprendizado – 11.2
exemplos edificantes – 50.4
exigência de recém-chegados – 9.2
exigência para proteger
alguém – 13.3
fábricas – 26.5
finalidades – 20.1, 37.6
flores – 38.1
função – 37.6
fundadores – 8.3
guerra europeia – 41.1
herança – 22.5, 30.5
Hilda – 38.3
história – 8.3
identificação das criaturas – 11.2
importância da água – 10.2
inativos – 22.1
intercessão – 7.3, 22.1, 22.4
laços afetivos – 18.5
lar terrestre, organização
doméstica – cap. 20.1
Lei do Descanso – 11.3

Lei do Trabalho – 11.3
linguagem terrestre – 37.3
mal, crime – 42.4
Medicina – 13.1
Ministério da Regeneração
 – 8.2, 25.2
Ministério do Auxílio – 8.2
ministérios – 8.2
ministros – 8.2
música – 11.4
noivado – 45.3
notícias da Terra – 23.2
nutrição espiritual – 18.2
oração – 3.3
ordem – 8.2
organização doméstica – 20.1
parque hospitalar – 5.1
percepção visual – 3.2
permanência de Lísias – 8.4
permanência do governador
 espiritual – cap. 8.3
perturbações – 23.4
população – 42.4
preces da Governadoria – 3.3
preparação para reencarnação
 – 22.4, 46.4, 47.4
primeira prece coletiva – 3.5
primórdios – 23.2
processo de casamento – 38.5
programa de trabalho – 22.1
proibição de intercâmbio – 23.2
propriedades – 21.1
provisões dos habitantes – 22.1
refeições – 18.1
regiões de limite vibratório – 42.4
residências – 3.4
Rio Azul – 10.2
segundas núpcias – 38.3
serviço de alimentação – 9.2
serviços sacrificiais – 22.1
tarefa essencial – 43.1
televisão – 3.3
tempo de Lísias – 8.4
tempo de trabalho – 46.1
tentativa de invasão – 9.3
Veneranda, ministra – 32.4
vestuário, alimentação – 22.1
vibrações novas de trabalho – 33.2
volitação – 50.3, nota
zona de transição – 8.2, 39.3

Nutrição espiritual
 ensinamentos – 18.2

O

Oclusão intestinal
 causas profundas – 4.2

Ódio
 permuta – 30.3

Operação
 delicada * dos intestinos – 2.2

Operação psíquica
 Laura – 21.4
 objetivo – 21.4

Oração *ver também* Prece
 André Luiz – 26.1
 auxílio – 7.3
 belezas – 2.4
 lágrimas – 7.3
 Laura – 17.4
 Nosso Lar – 3.3
 pranto diferente – 7.3

Organismo espiritual *ver* Perispírito

Organização doméstica
 lar terrestre – 20.1
 Nosso Lar – 20.1
 Terra – 20.2

P

Pábulo
 amor – 18.5, nota

Padrão vibratório
  dilatação – 7.4
  restrição – 16.2

Pádua, ministro
  Ministério da Comunicação – 29.4

Paixão humana
  ventania – 47.3

Palácio natural
  governador – 32.3

Parente
  contato com * terrenos – 23.4
  Ribeiro e * encarnados – 27.2

Parque de educação
  cinematógrafo terrestre – 32.2
  Ministério do Esclarecimento – 32.2

Parque de saúde
  preocupação – 7.2

Passe de fortalecimento
  crentes negativos – 27.5
  Tobias – 27.5

Passe magnético
  André Luiz – 5.4
  Lísias – 5.4

Paternidade
  finalidade – 30.3

Patrimônio nacional e linguístico
  fronteiras psíquicas – 24.2

Paulina, irmã de Edelberto
  consanguinidade – 30.3
  Edelberto, irmão – 30.5
  fraternidade sem mácula – 30.3
  reconciliação familiar – 30.1
  socorro espiritual – 30.4

Paulo de Tarso, doutor do Sinédrio
  ciência do recomeço – 25.4

Paulo, vigilante-chefe
  Câmaras de Retificação – 31.3
  pontos negros – 31.2, 31,3

Paz
  apelo – 24.1
  colônia Moradia – 24.1-24.4

Penitência
  serviço – 6.3

Pensamento
  conceitos – 37.3-37.5
  cuidados – 41.1
  distúrbios – 41.6
  forma verbalista – 37.5
  fotografia – 31.5
  intuição – 37.5
  leis – 37.6
  linguagem universal – 37.3
  motivo de encontro no
    Umbral – 12.4
  novas diretrizes – 2.1
  permuta – 24.2
  transformação do * humano – 8.2
  Veneranda, ministra – 37.3
  viciação – 37.5

Perdão
  Jesus – 39.3

Perispírito
  ações – 4.2

Plano elevado
  requisitos – 16.1

Plano Espiritual Superior
  trabalho e valores morais – 22.3
  valores – 26.3

Plano inferior
  notícias – 23.4
  permanência – 7.3
  serviços divinos – 36.3

Índice geral

Plantão noturno

André Luiz e * nas Câmaras
de Retificação – 28.3

Poalha
significado da expressão – 1.2, nota

Polidoro, servidor
Ministério do Esclarecimento – 18.4

Polônia
Benevenuto, ministro – 43.2
situação dos militares
agressores – 43.3
socorro espiritual – 43.2

Ponto negro
André Luiz – 31.2
descrição – 31.4
Narcisa – 41.2
Paulo, vigilante-chefe – 31.3
vampiro – 31.3

Prece *ver também* Oração
conversação mental – 50.3
Narcisa – 50.3
primeira * coletiva em
Nosso Lar – 3.5
sentimentos – 2.3

Presença maternal
reconforto – 15.2

Pretérito doloroso
clarificando a visão – 21.2

Princípio vital
inalação de * da atmosfera – 9.3
instrutores e * da atmosfera – 9.2

Priscila, irmã de André Luiz
Umbral – 16.3, 46.3

Problema religioso
surgimento – 1.2

Propriedade
problema – 21.1

Pureza mental
afinidade – 37.5

R

Rafael
André Luiz – 25.1, 25.4
Ministério da Regeneração – 25.1

Realidade da vida
alteração – 2.2

Realização nobre
requisitos – 7.4

Receituário gratuito
intercessão – 14.4
Recém-chegados do Umbral
– 34.1- 34.5
Amâncio, padre – 34.2
escravos – 34.2, 34.3
missas – 34.2, 34.4

Receptor radiofônico
aparelho de comunicação
– 23.2, 28.1
mensagens da Terra – 23.2
televisão – cap.; 24.1, 24.2

Reconciliação familiar
Paulina – 30.1-30.5

Reencarnação
aperfeiçoamento – 11.2
esquecimento do objetivo – 12.2
Laerte – 46.3
Laura – 21.4, 25.3, 45.2, 47.1, 47.5
Luísa – 16.3, 46.3
mãe de André Luiz – 46.4
programas de serviço – 12.1
técnicos – 47.4

Refeição
Ministério do Auxílio – 18.1
Nosso Lar – 18.1

Reino vegetal
servidores – 50.4

Religiões no mundo
André Luiz – 2.2

Remuneração
atenção à * na Terra – 22.3
bônus-hora – 22.2, 36.5

Renovação espiritual
trabalho – 16.1

Respiração
conhecimentos relativos
à ciência – 9.2

Responsabilidade
compreensão – 26.3
revelação – 16.1

Ribeiro, enfermo
agravo de perturbação – 27.2
passes de prostração – 27.2
preocupações da família – 27.2

Ricardo, esposo de Laura – 21.1
aparição – 48.5
compreensão do débito – 21.4
desprendimento dos elos
físicos – 48.2
globo cristalino – 48.1
infância terrestre – 48.2
leitura das memórias – 21.3
novo encontro na Terra – 21.4
operações psíquicas – 21.4
pedido – 25.1
reencarnação – 21.4
visita a Nosso Lar – 47.5

Rio Azul
densidade da água – 10.3
magnetização das águas – 10.3
qualidades espirituais – 10.3
reservatório de água da
colônia – 10.2

Roupagem física *ver* Corpo físico

S

Salão natural
Bosque das Águas – 32.2
mobiliário – 32.2
Veneranda, ministra – 32.2

Salão verde
Grande Parque – 32.1
Veneranda, ministra – 32.1

Salústio, enfermeiro
Câmaras de Retificação – 28.3

Samaritano
cães, muares, aves – 33.4, 33.5
Câmaras de Retificação – 33.1-33.4
comunicação – 28.1
conceito – 27.2, nota
Francisco, enfermo – 29.2-29.4
íbis viajores – 33.5
Umbral – 27.2, 28.1

Seção do Arquivo
anotações particulares – 21.3
leitura das memórias – 21.3

Segundas núpcias
espiritualidade eterna – 38.3
Nosso Lar – 38.3

Sentimento humano
características – 20.1
hipertrofia – 23.2
lágrimas – 15.4

Serviço de Recordações
chefe – 21.3

Índice geral

Serviço de Trânsito e Transporte
   aeróbus – 10.1

Serviço maternal
   importância – 20.4

Sexo
   Amor Universal – 18.3
   compreensão – 39.2
   desequilibrados – 31.1
   experiência – 39.5
   Laura e teorias – 18.3

Sífilis
   André Luiz – 4.2, 4.3
   Elisa – 40.4
   procedimento mental – 4.2

Silveira, samaritano
   André Luiz – 35.1, 35.4
   falência – 35.2

Simpatia
   construção do círculo – 25.2
   semente – 14.4

Sol
   corpo físico – 3.2
   André Luiz e recordações – 3.2

Sonho
   André Luiz – 36.1-36.3

Sono
   bênção – 1.2
   necessidade – 36.2

Sono espiritual
   alegoria – 29.5

Staccato
   significado da expressão – 3.4, nota

Suicida
   André Luiz e * inconsciente – 4.4
   gritos – 2.1

Suicídio
   acusação – 2.2
   pecha – 2.2

Supremo Autor da
   Natureza *ver* Deus

T

Técnicos da Reencarnação
   ascendentes biológicos – 47.4

Televisão
   processo adiantado de * em
      Nosso Lar – 3.3
   receptor radiofônico – 24.1, 28.1

Templo da Governadoria
   grande coro – 42.2
   governador espiritual, oração – 11.4

Tempo
   valor – 37.1

Tentação
   antídoto – 44.3

Teresa, filha de Laura
   chegada – 21.4
   Eloísa, filha – 19.5
   tratamento no Ministério
      da Regeneração – 21.4
   Umbral – 21.4

Terra
   almas gêmeas – 20.4
   almas irmãs – 20.4
   boas intenções – 47.3
   bônus-hora – 21.2
   característica dos fluidos – 28.2
   características dos casais
      humanos – 20.4
   célula de carne – 5.4
   comunicação com amigo
      encarnado – cap. 23.4

conceito de amor – 45.2
convocação aos serviços
   de socorro – 41.3
esferas espirituais vizinhas – 3.2
importância da encarnação – 15.1
interesse do Umbral para
   os habitantes – 12.3
leis – 44.4
ligações de resgate – 20.4
natureza do serviço – 22.1
Nosso Lar e notícias – 23.2
novo encontro – 21.1
objetivo da família
   consanguínea – 30.3
organização doméstico – 20.1
patrimônio nos planos – 1.2
princípios de gravitação – 44.4
problema do ambiente – 44.1
proibição de intercâmbio – 23.2
receptor radiofônico e
   mensagens – 23.2
religiões – 5.3
remuneração – 22.2
trevas – 44.2
Veneranda, ministra – 32.1-32.5

Título acadêmico
   interpretação – 14.4

Tobias
   Câmaras de Retificação – 26.4
   caso familiar – 38.2
   Hilda – 38.1, 38.2
   Luciana – 38.1, 38.2
   passes de fortalecimento – 27.5
   segundas núpcias – 38.3

Trabalho
   André Luiz e primeiro ano – 46.1
   bênção de realização – 6.2
   bênçãos de * espiritual – 36.3
   carga horária em Nosso Lar – 22.1
   conceito – 36.3
   higiene espiritual – 24.1

intercessão e tempo – 22.4
Lei do * e Nosso Lar – 11.4
Plano Espiritual Superior – 22.3
programa de * em Nosso Lar – 22.1
remuneração – 22.1
renovação espiritual – 16.1
servidor pronto – 26.3
valores morais – 22.3
Veneranda, ministra, e *
   pela Terra – 32.5
vibrações novas – 33.2

Transporte em massa
   alegoria para explicar – 28.2

Trevas
   conceito – 44.2
   governador espiritual – 44.2
   Lísias – 44.2
   localização – 44.4
   princípios de gravitação – 44.4
   Terra – 44.3
   Umbral – 44.2

U

Umbral
   aeróbus – 33.4
   André Luiz – 12.1, 12.4
   armadilhas – 27.4
   assalto das multidões obscuras – 9.3
   cães, muares, aves – 33.4, 33.5
   Câmaras de Retificação – 26.5, 27.4
   característica dos fluidos – 12.4, 28.2
   Clara, irmã de André Luiz – 16.3
   desequilibrados do sexo – 31.1
   destino dos recém-chegados – 11.3
   Eloísa, neta de Laura – 19.1
   escritores de má-fé – 17.4
   Everardo – 41.5
   existência laboriosa na Terra – 21.2
   finalidade – 12.2
   forças obscuras – 24.1
   Francisco, enfermo – 29.3, 29.4

Índice geral

funcionamento – 12.2
habitantes – 12.3
Hilda, esposa de Tobias – 38.4
íbis viajores – 33.5
início – 12.1
Laerte, pai de André Luiz – 16.2
Laura – 21.1
Leis da Fraternidade – 39.3
leis vibratórias – 12.3
ligação das mentes humanas – 12.4
localização – 12.3
mendiga recém-chegada – 31.2
mente humana – 44.4
Ministério da Regeneração – 11.3
multidões obscuras – 9.3
Nosso Lar, departamento – 23.2
notícias – 12.1
pensamento, afinidade – 12.4
primórdios de Nosso Lar – 23.2
Priscila, irmã de André Luiz – 16.3
proteção divina – 12.4
Samaritanos – 27.2, nota; 28.1
tempo de permanência – 12.4
Teresa – 19.5, 21.4
trevas – 44.4
zona purgatorial – 12.2

Universo
Amor Divino, cibo – 18.2, nota

V

Vácuo
imagem literária – 44.4

Vaidade
André Luiz e * inútil – 26.2
antídoto – 44.3
profissionais da Medicina – 14.3

Vampiro
Paulo, vigilante-chefe – 31.3
pontos negros – 31.3
recém-chegada do Umbral – 31.3

Velho Testamento
André Luiz e conhecimento – 1.2
críticas de escritores – 1.2
sacerdócio organizado – 1.2

Venâncio, enfermeiro
Câmaras de Retificação – 28.3

Veneranda, ministra
Bosque das Águas – 32.2
cinematógrafo – 32.2
conferência – 37.1
fraternidade da Luz – 32.4
homenagem – 32.4
Jesus – 32.4
Jesus, preleções evangélicas – 37.6
medalha do Mérito do Serviço – 32.4
Ministério da Regeneração – 28.4
mobiliário natural – 32.2
Narcisa, enfermeira – 28.4
notícias – 32.1-32.5
permanência em Nosso Lar – 32.5
processo empregado na conferência
  – cap. 37.1-37.6
salão – 32.3-32.5
tempo, horas de serviço – 28.4, 32.4
trabalho pela Terra – 32.5

Ventura espiritual
transportes – 15.2

Verbo
utilização – 6.2

Verdade
André Luiz e surpresa – 1.4
busca – 1.4
Espiritismo e * eterna – 43.4

Verdade de Deus
Igrejas – 43.4

Verdugo
   homens cultos – 44.4
   Humanidade – 44.4

Viagem
   André Luiz e estranha – 1.2

Vibração elétrica
   volume de voz – 42.3

Vibração mental
   imagem simbólica – 3.4, nota

Vida
   adestramento de órgãos para
     * nova – cap. 1.3
   centralização da * do homem – 27.4
   coroa da * eterna – 12.3
   pensamento relativo à * eterna – 29.3
   renovação – 44.4

Vida espiritual
   aproveitamento – 17.2

Vida eterna
   contrabandistas – 27.4
   iluminação de raciocínios – 43.4
   pensamento fechado – 29.3

Vida psíquica
   origem da * americana – 41.3

Visão
   André Luiz e * espiritual – 31.3
   clarificando a * interior – 21.3
   criação mental e * do cadáver – 29.4
   Laerte e viciamento da *
     espiritual – 16.2

Visita
   mãe, pai e ausência – 7.2

Volitação
   aeróbus – 50.3, nota; 50.5
   primeira experiência – 50.5

Z

Zélia
   André Luiz – 6.2, 49.1, 49.5
   condenação do procedimento – 49.5
   Ernesto, Dr. – 49.2
   indagações – 16.4, 49.2
   interesse pelo Espiritismo – 49.4

Zenóbio
   Câmaras de Retificação – 34.5

Zona inferior, purgatorial
   ver Umbral

Edições de *Nosso Lar*

EDIÇÃO	IMPR.	ANO	TIRAGEM	FORMATO
1	1	1944	10.000	12,5X17,5
2	1	1945	5.000	12,5X17,5
3	1	1947	10.000	12,5X17,5
4	1	1949	10.000	12,5X17,5
5	1	1953	10.000	12,5X17,5
6	1	1956	10.000	12,5X17,5
7	1	1958	15.000	12,5X17,5
8	1	1962	10.000	12,5X17,5
9	1	1965	10.000	12,5X17,5
10	1	1968	10.000	12,5X17,5
11	1	1970	10.000	12,5X17,5
12	1	1971	10.000	12,5X17,5
13	1	1972	20.000	12,5X17,5
14	1	1973	20.000	12,5X17,5
15	1	1976	10.000	12,5X17,5
16	1	1976	10.200	12,5X17,5
17	1	1976	10.200	12,5X17,5
18	1	1977	20.200	12,5X17,5
19	1	1978	10.200	12,5X17,5
20	1	1978	20.200	12,5X17,5
21	1	1979	20.200	12,5X17,5
22	1	1980	20.200	12,5X17,5
23	1	1981	30.200	12,5X17,5
24	1	1982	20.200	12,5X17,5
25	1	1982	20.200	12,5X17,5
26	1	1983	20.200	12,5X17,5
27	1	1983	20.200	12,5X17,5
28	1	1984	20.200	12,5X17,5
29	1	1984	50.200	12,5X17,5
30	1	1985	50.200	12,5X17,5
31	1	1987	30.200	12,5X17,5
32	1	1987	10.200	12,5X17,5
33	1	1987	20.200	12,5X17,5
34	1	1987	50.000	12,5X17,5
35	1	1988	30.200	12,5X17,5
36	1	1989	30.200	12,5X17,5
37	1	1989	50.200	12,5X17,5
38	1	1989	30.200	12,5X17,5
39	1	1991	50.000	12,5X17,5
40	1	1992	50.000	12,5X17,5
41	1	1993	50.000	12,5X17,5
42	1	1994	70.000	12,5X17,5
43	1	1995	50.000	12,5X17,5
44	1	1995	50.000	12,5X17,5
45	1	1996	52.000	12,5X17,5
46	1	1997	50.000	12,5X17,5
47	1	1997	25.000	12,5X17,5
48	1	1998	50.000	12,5X17,5
49	1	1999	50.000	12,5X17,5
50	1	2000	20.000	12,5X17,5
51	1	2001	20.000	12,5X17,5
52	1	2002	40.000	12,5X17,5
53	1	2002	40.000	12,5X17,5
54	1	2003	53.000	12,5X17,5
55	1	2005	30.000	12,5X17,5
56	1	2006	30.000	12,5X17,5
57	1	2006	15.000	12,5X17,5
58	1	2006	15.000	12,5X17,5
59	1	2007	45.000	12,5X17,5
60	1	2007	5.000	12,5X17,5
60	2	2008	50.000	12,5X17,5
60	3	2009	50.000	12,5X17,5
60	4	2010	30.000	12,5X17,5
61	1	2010	100.000	12,5X17,5
61	2	2010	100.000	12,5X17,5
62	1	2003	10.000	14x21
62	2	2003	10.000	14x21
62	3	2007	3.000	14x21
62	4	2008	5.000	14x21
62	5	2008	5.000	14x21
62	6	2009	6.000	14x21
62	7	2010	10.000	14x21
62	8	2010	8.000	14x21
63	1	2010	10.000	14x21
63	2	2010	20.000	14x21
63	3	2010	50.000	14x21
64	1	2014	5.000	14x21
64	2	2014	10.000	14x21
64	3	2014	10.000	14x21
64	4	2015	12.000	13,8x21
64	5	2015	8.000	13,8x21
64	6	2016	13.000	13,8x21
64	7	2016	6.000	14x21
64	8	2016	12.000	14x21
64	9	2017	13.500	14x21
64	10	2017	15.000	14x21
64	11	2018	6.000	14x21
64	12	2018	8.500	14x21
64	13	2019	7.000	14x21
64	14	2019	8.300	14x21
64	15	2020	18.000	14x21
64	16	2021	20.000	14x21
64	17	2022	15.000	14x21
64	18	2023	12.000	14x21
64	19	2024	15.000	14x21
64	20	2025	10.000	14x21

FEB editora
Livro espírita para um novo mundo
www.febeditora.com.br
@febeditoraoficial
@febeditora

Conselho Editorial:
Carlos Roberto Campetti
Cirne Ferreira de Araújo
Evandro Noleto Bezerra
Geraldo Campetti Sobrinho – Coord. Editorial
Jorge Godinho Barreto Nery – Presidente
Maria de Lourdes Pereira de Oliveira
Miriam Lúcia Herrera Masotti Dusi

Produção Editorial:
Elizabete de Jesus Moreira

Revisão:
Davi Miranda
Paula Lopes
Perla Serafim

Capa:
Evelin Yuri Furuta

Projeto Gráfico:
Rones José Silvano de Lima – instagram.com/bookebooks_designer

Diagramação:
João Guilherme Andery Tayer

Foto de capa:
http://www.shutterstock.com/ silver-john
http://www.dreamstime.com/ Harlanov
http://www.dreamstime.com/ Serp

Foto Chico Xavier:
Grupo Espírita Emmanuel (GEEM)

Normalização Técnica:
Biblioteca de Obras Raras e Documentos Patrimoniais do Livro

Esta edição foi impressa pela Corprint Gráfica e Editora Ltda., Mogi das Cruzes, SP, com tiragem de 10 mil exemplares, todos em formato fechado de 140x210 mm e com mancha de 104x168 mm. Os papéis utilizados foram Off white bulk 58 g/m² para o miolo e o Cartão 250 g/m² para a capa. O texto principal foi composto em Adobe Garamond Pro 12/15 e os títulos em Adobe Garamond Pro 28/30. Impresso no Brasil. *Presita en Brazilo.*